LE CŒUR EN ÉCHARPE

Berthe Cloutier

LE CŒUR EN ÉCHARPE
Aimer à cœur fendre

roman

TOME II

LES ÉDITIONS FLORE   **CARTE BLANCHE**

Le premier tome de la série « Aimer à cœur fendre »
est disponible aux Éditions Flore :

939, rue Antonine Maillet
Outremont (Québec)
H2V 2Y8
Tél. : (514) 274-6344

En couverture : *Tango*, acrylique de René Content

Les Éditions Carte blanche
1209, avenue Bernard Ouest
Bureau 200
Outremont (Québec)
H2V 1V7
Téléphone : (514) 276-1298
Télécopieur : (514) 276-1349

Distribution au Canada
FIDES
165, rue Deslauriers
Saint-Laurent (Québec)
H4N 2S4
Téléphone : (514) 745-4290
Télécopieur : (514) 745-4299

© Berthe Cloutier, 1999
Dépôt légal : 3e trimestre 1999
Bibliothèque nationale du Québec
ISBN 2-922291-27-8

PROLOGUE

ÉLEVÉE À LA CAMPAGNE dans une famille nombreuse, Béatrice avait eu une enfance heureuse. Puis, pendant plus de vingt ans, elle avait été enseignante. Déçue par la profession qu'elle avait tant aimée, amère à la suite d'amours tourmentées, Béatrice vit pour l'instant un malaise profond.

Du haut de son quatorzième étage, elle regarde sans le voir le Saint-Laurent. Son cœur est lourd, à la fois parce que, pour la première fois, la rentrée des classes se fera sans elle... tous ces élèves qui illuminaient sa vie... et parce qu'elle pleure son dernier amour, un homme marié comme toujours, dont le visage se dissipe déjà parmi les quelques feuilles qui virevoltent près de son balcon.

Béatrice se perd dans ses souvenirs qui défilent sur l'écran des eaux profondes de *son* fleuve... Elle était très éprise de Vauclin Tessier. Pendant quatorze ans, leur vie fut remplie de petits repas en tête-à-tête, de voyages. L'amour était toujours au rendez-vous.

Maintenant, loin de sa famille, abandonnée par Vauclin, Béatrice prend son café et broie du noir. Tous les amis du passé remontent à la surface. Elle se revoit parcourant le monde avec Joëlle, sans oublier toutefois sa trahison. Elle s'enlise dans le désarroi le plus profond.

CHAPITRE I

SANS AMOUR...

Novembre 1980, le temps est sombre comme la bure d'un moine. Béatrice a les idées brouillées, ce matin. On dirait qu'elle éparpille les lettres d'un jeu de Scrabble. Depuis cinq nuits, elle n'arrive plus à trouver le sommeil. Elle est inquiète, angoissée, agitée ; et elle n'a personne à qui parler puisqu'elle vit seule. Béa a perdu la notion du temps ; elle n'a plus ni faim ni soif. Tout se bouscule dans sa tête, elle veut tout faire en même temps.

Après n'avoir lu qu'une page de son livre, elle le pose sur sa table de chevet. Elle contemple la photo de Vauclin, se regarde dans la glace et, comme à son habitude, elle se parle : « Tu as les yeux cernés, ma pauvre Béa, le sommeil te fait défaut. Selon le diagnostic du docteur Leduc, tu as une maladie *bipolaire*. Une très grande fatigue t'empêche de fonctionner normalement. » Béatrice s'est brûlée au travail et dans des amours malheureuses. Pourtant, avec Vauclin Tessier, son dernier amant, c'était du sérieux ; il avait tout préparé pour son divorce, mais voilà que la paralysie cérébrale de son épouse avait tout fait basculer...

Durant toute la journée, elle va et vient dans son bel appartement de l'Île des Sœurs. Elle vit entourée de tableaux bien choisis, de sculptures, de centaines de livres et de plantes vertes. Il lui manque cependant l'essentiel : son amour.

Béatrice est perchée au quatorzième étage d'un édifice de ciment gris. Le fleuve Saint-Laurent coule à quelques mètres ; elle pourrait ouvrir la porte du balcon, sentir la fraîcheur du cours d'eau, admirer sa robe d'argent. Elle ne fait plus rien de cela, son regard étant tourné vers l'intérieur. Le soir venu, étendue sur son divan, Béatrice rêve. Chez elle, tout est comme un écheveau mal dévidé. Son esprit est fou et vagabond. Un nœud géant se resserre autour de son monde.

Au petit matin, Béa est surexcitée et flotte dans un épais brouillard. Dans sa salle de travail, elle s'assoit, se relève, marche fort et vide tous ses classeurs par terre. D'innombrables papiers jonchent le sol. Béatrice n'en fait aucun cas. Elle tente de téléphoner à des amis en France, mais sans succès.

Sept heures sonnent à l'horloge grand-père ; soudain, l'univers de Béatrice coule à pic. Les cheveux défaits, la robe de chambre entrouverte, elle se précipite dans le corridor. Se cachant comme un petit animal traqué, les yeux hagards, elle se réfugie chez sa voisine de palier.

— La guerre est déclarée, la guerre est déclarée...

— Calmez-vous, madame Bélisle, calmez-vous !

Madame Beaulieu laisse sa visiteuse dans le vivoir et va téléphoner à Anne, la sœur de Béa, qui habite avec son mari au sixième étage. Elle est atterrée ; habituellement si calme, elle ne peut s'empêcher de lui communiquer son inquiétude.

— Je n'ai jamais vu Béatrice dans un tel état. Elle est arrivée chez moi en état de choc. Elle me semble très malade. Pouvez-vous monter immédiatement ?

— Nous arrivons.

Veuve depuis deux ans, Madame Beaulieu a hérité d'une somme rondelette, grâce à laquelle elle peut s'entourer d'un luxe raffiné : beaux vêtements, belle Mercedes et bons vins. De nombreux livres et tableaux, que lui a laissés son mari, couvrent les murs des deux salles de lecture. Souvent, elle invite Béatrice à venir chercher des bouquins à son goût. Madame Beaulieu est accablée par ce qui arrive à son amie. Avec chagrin, elle voit Anne et son mari, Yves, emmener la très malade Béa. Pour cette dernière, tout est noir en ce moment. Son esprit se promène dans un terrain vague où il n'y a que des feuilles mortes. Ses pensées ont la vitesse de la lumière.

Dans l'auto qui se dirige vers l'hôpital psychiatrique, Béatrice parle comme les moulins à prières des moines tibétains. Elle ne pose aucune question sur l'endroit où on la conduit. La bâtisse devant laquelle s'arrête la voiture occupe l'espace d'une ancienne salle de concert ; à perte de vue, des champs l'encerclent. Une rangée de peupliers monte la garde. Des érables argentés se mêlent aux saules pleureurs qui se laissent écheveler par le vent. Une haie de spirées conduit à la porte principale.

Sur le mur, à gauche en entrant, Anne fait remarquer à Béa une reproduction du *Jeune Pêcheur de Haarlem*, du peintre Frans Hals. Béatrice n'en fait aucun cas, elle qui, pourtant, est une admiratrice de beaux tableaux. Dans les longs corridors beiges, séparés par de grosses portes à barreaux, Béatrice se perd. Des gardiens que l'on croirait échappés d'un théâtre de marionnettes laissent passer les patients. Des clés, de longues clés, font une chirurgie aux serrures grinçantes. Béatrice en entend le cliquetis, qui résonne dans sa tête.

Les longs couloirs débouchent sur un corridor bien éclairé. Une dizaine de malades sont présents, debout sur la voie d'évitement. Les êtres et les choses ont un air d'indifférence. On invite Béatrice, Anne et Yves à attendre le médecin. Béa parle... parle, ses propos sont incohérents. « Vauclin vient me chercher. Mon amour, où es-tu ? Aide-moi ! »

Anne et Yves se regardent, découragés. Au bout d'une demi-heure, on appelle Madame Bélisle. Un médecin, encore jeune mais chauve, s'approche de Béatrice. Il lui parle lentement, tout en observant ses pupilles dilatées et les tremblements de ses mains. Il demande à l'infirmière d'amener Béa à l'admission ; celle-ci a peur tout à coup, elle se jette dans les bras de sa sœur ; Anne et Yves la rassurent et l'accompagnent doucement au bureau d'admission, où Anne remplit les papiers pour elle.

Puis, une infirmière, bourrue celle-là, conduit Béatrice au poste, où on lui prend son sac à main, son étroit bracelet d'argent et sa petite bague à diamant, cadeau de Vauclin. Béatrice ne sait pas où iront ses trésors, on ne lui explique rien. Une toute jeune employée la prend par la main et l'emmène vers une chambre. Doucement, très doucement, elle lui dit : « Pourriez-vous enlever tous vos vêtements et les placer dans ce sac ; ensuite, il faudra enfiler cette chemise de nuit. Je reviens bientôt. » Très rapidement, Béatrice exécute les ordres, puis elle s'assoit sur son lit et pleure à chaudes larmes. Elle se voit affublée de ce vêtement vert foncé et ne se trouve pas rigolote. Un uniforme de cette couleur ne se porte qu'en cure fermée. Béatrice commence à réaliser ce qui se passe.

Envoyée dans la salle commune, Béatrice s'agite ; elle se frotte les mains fortement, tape du pied et répète : « Je suis folle, comprenez-vous, je ne suis qu'une folle. Je suis ici avec des fous.» Les patients hagards, perdus, croisent Béatrice et la fixent de façon hébétée. La vue de ces visages décomposés, comme hypnotisés à force de drogues, font crier à Béatrice : «Je veux m'en aller, je veux sortir d'ici.» L'infirmière bourrue s'amène, la brusque, la conduit au poste, prend sa tension artérielle et essaie de lui donner une injection. Béatrice se débat, crie, pleure et administre à la soignante une gifle en plein visage. On s'affaire autour de l'indocile ; deux infirmiers la traînent dans une misérable chambre et essaient de la mettre dans une camisole de force. À la vue de ce scaphandre, Béatrice est remplie de frayeur, elle jure de se laisser soigner. On ne l'écoute pas, on l'attache au lit. On lui administre une piqûre sur la fesse gauche. Béatrice a mal au cœur. Le matelas de plastique est inconfortable, le plafond tourne. Béa combat le sommeil.

L'a-t-on oubliée là ? Dans ce sacré corset, Béatrice ne peut bouger. Elle est nue et se sent mal à l'aise. Elle veut uriner. Elle crie, appelle fort, personne ne vient. À bout de retenue, elle laisse couler le chaud liquide le long de ses cuisses.

On vient. Aux yeux de l'infirmier, ce dégât est une ruse, mais la jeune fille n'a jamais pensé à en faire un stratagème ; elle veut être libérée, tout simplement. L'infirmier vient lui administrer une autre dose qui la fera dormir.

Il est dix-sept heures, deux infirmiers détachent Béatrice et on la conduit à la cafétéria. Le cuisinier est de belle humeur, il rit et blague. Béa ne choisit qu'un morceau de gâteau. Les préposés essaient de la convaincre de prendre un repas complet mais, peine perdue, elle ne mange que son dessert. Elle considère les autres patients comme des moutons ; ils prennent tous les mêmes aliments, mangent comme des robots et boivent tous le même mauvais thé.

Comme des automates, ils remontent dans leur salle faire des séances de «niaisage». Ils sont assis niaisement, jouant avec leurs doigts. La télévision est ouverte, mais personne ne la regarde. Les patients sont décrochés de la réalité. Béa fait partie de ces malades. Elle ne fait que penser à l'affront qu'on lui a fait subir en l'attachant. Elle souffre d'hyperactivité, elle marche, s'assoit un moment, se relève, croise les mains sur son front et crie très fort: «Vous n'êtes pas tannés de mourir, bande de caves!» Mais elle a l'impression de parler à des androïdes, personne ne lui répond. Personne ne répond à sa douleur.

Dans un coin, Roberte, se prenant pour un chat, est couchée par terre, se lèche les bras et laisse échapper des miaulements aigus. Jean-Yves accuse l'infirmière de lui avoir volé son argent. Pierre tape du pied. Roger fait semblant de jouer du piano. Marie-Claire époussette en chantant. Martin anime une scie mécanique imaginaire en faisant un son strident, intolérable.

Les yeux écarquillés, Béa regarde cette dizaine de malades. Elle en aperçoit un, d'une trentaine d'années, qui se berce en faisant un bruit infernal. Elle va vers lui, s'assied et lui fait signe d'arrêter de se bercer. Armé d'un livre très épais, il lui assène un grand coup sur la tête. Béa voit des étoiles et se met à sangloter; elle pleurera longuement, retirée à l'autre bout de la grande salle pour être seule.

Devant un amoncellement de papier, elle s'active: «Amour, amour, amour...», écrit-elle. Au bout de deux semaines, on peut lire: «J'ai aimé trois hommes, et à 44 ans, je m'apprêtais à faire une belle vie avec mon Vauclin quand tout s'écroula. Oui, cher amour, ta femme t'a enlevé à moi. Je réalise maintenant que le fait d'être liée à un homme marié est un non-sens : tu souffres trop, tu restes cachée chez toi, suspendue au téléphone. Ton homme fête son anniversaire, Noël, le jour de l'An et Pâques avec sa famille, et toi, tu restes dans la détresse, tu es seule. À bien y penser, je suis masochiste. Je ne veux plus de cette vie. »

Tous les jours, Béatrice écrit et écrit jusqu'à l'heure du repos. Elle se relit ensuite pendant plus d'une heure. Elle va au lit, exténuée. Un soir, son ronflement dérange Lucie, sa voisine de chambre. Cette dernière est très jolie. Ses petites dents de rongeur la font remarquer, de même que ses cheveux blonds comme les blés qui lui tombent plus bas que la taille.

— Béatrice, Béatrice, réveille-toi, tu ronfles encore !

Béa s'éveille en sursaut.

— Qu'est-ce qui se passe ?

— Tu ronflais.

— Pardon Lucie, et merci de m'avoir réveillée ; mais je suis si fatiguée.

Les deux patientes parlent jusqu'aux petites heures du matin. C'est le premier contact que Béatrice a depuis son entrée à l'hôpital, il y a trois semaines. Les nouvelles amies conviennent de déjeuner ensemble… Béatrice demande à Lucie :

— Que fais-tu ici, tu as l'air si bien ?

— J'y suis depuis trois mois. J'ai tenté de me suicider à la suite d'une rupture avec mon ami.

— Encore des amours malheureuses !

— Oui, après trois ans de vie commune, je l'ai trouvé dans notre lit avec sa collègue de travail. J'étais humiliée… Le soir même, je le quittais sans rien emporter.

— Encore un profiteur !

— Pour ça, oui… J'avais payé la moitié de la voiture et du ménage, et Monsieur a tout en sa possession !

— Quand tu sortiras d'ici, tu récupéreras ta part, j'espère.

— Si j'en ai le courage…

Lucie vient souvent converser avec Béa. Comme elle était secrétaire dans une polyvalente, elle a bien des expériences en commun avec elle.

Il est huit heures, l'heure des médicaments. En rang, chaque patient attend sa potion. « De vrais robots ! », se dit Béatrice. Elle ne prend que quatre pilules de lithium par jour, car elle va beaucoup mieux, surtout grâce aux parents et amis qui la visitent chaque jour, ce qui a beaucoup aidé à sa guérison.

Ce matin, Béa s'habille chaudement et part, accompagnée d'un gardien, faire une grande marche dans le parc Angrignon. Elle aperçoit un gros cheval blond, seul dans son enclos. Elle décide d'aller le flatter. Il mâchonne, fait une large grimace et montre ses dents jaunies. S'étirant le bras, Béatrice démêle la crinière du gros quadrupède. Les sourcils en accent circonflexe, il fait claquer son sabot droit, remue la patte gauche. La bête frissonne, son poil se hérisse ; il redresse les oreilles et renifle très fort.

— Tu vois un animal ? lui demande Béatrice.

En effet, une petite touffe de poil gris passe rapidement, un bel écureuil. Au même moment, un monsieur bien vêtu s'approche de Béa. Il lui tend deux quignons de pain.

— Voulez-vous nourrir ce cheval ?

— Oui merci, j'aime les animaux, cela me rappelle le temps où je montais ma Nelly.

— Vous savez monter à cheval ?

— Certainement.

— Quand nous serons sortis d'ici, je vous inviterai chez moi à Mirabel. J'ai deux beaux chevaux.

Béa baisse la tête, de peur de laisser voir sa gêne. Sans répondre, elle marche vers l'hôpital en comptant ses pas. Norbert André la rejoint.

— Je suis sérieux pour l'équitation.

— Je sais, je sais... de répondre Béa.

Norbert est très secret. On ne le croirait pas malade. Il est le seul patient à lire *Le Devoir* tous les matins. Quand Béa le voit plonger ainsi dans sa lecture, elle reprend ses papiers et écrit pendant des heures. À la dérobée, elle l'observe et le trouve beau. En effet, cet ancien instructeur de ski a un corps de diable et un visage à la Jean Marais; son front large abrite quelques sillons. La brillance de ses yeux ardoise est revenue avec la santé. Il doit sortir de l'hôpital dans une semaine.

À deux jours de son congé, nous le retrouvons avec Béatrice. Cet intrépide naufragé parle du lithium qui lui permettra de prendre sa vie en charge. Béa sait aussi que la folie est ronde, et que, pour la dompter, il faut d'abord en connaître la cause. Elle accepte de parler de sa maladie avec Norbert.

— Je suis maniaco-dépressive, Norbert. J'ai des accès d'euphorie et d'hyperactivité. Je suis parfois très irritable et j'ai des changements d'humeur prononcés. Le sel chimique et la thérapie que j'ai suivie m'ont aidée à les contrôler.

— J'ai réussi moi aussi, mais je devrai prendre du lithium toute ma vie. Ah! si je peux sortir d'ici. Comme j'ai hâte de me retrouver sur ma ferme. C'est le stress qui m'a conduit ici, mes affaires allaient si mal. Je ne dormais plus, je mangeais très peu.

— L'important, Norbert, c'est que nous nous en sortions sans trop de dommages.

— C'est vrai, Béa. Quand nous serons sortis, j'aimerais te revoir.

— Si tu veux.

Norbert sort de sa poche un petit carnet en cuir noir, il y prend une carte d'affaires et la glisse dans la main de Béa. Ils échangent leurs numéros de téléphone. Longtemps encore, ils se racontent. Le gardien leur rappelle qu'il est plus de vingt-deux heures.

Mercredi matin ; c'est le départ de Norbert. Béatrice semble triste, elle perd son confident. Espérant le retrouver, elle adresse à cet effet une prière au ciel, à cet être supérieur qu'elle appelle Doux-doux, les noms de Christ, Seigneur, Sauveur l'ayant toujours rebutée. Comme ses frères et sœurs, elle a été élevée dans la religion catholique, mais elle a tôt fait de délaisser la pratique religieuse.

Norbert a quitté l'hôpital avec son fils Marc, avocat à Montréal, qui est venu le chercher pour passer la journée avec lui.

— Qu'on est bien chez soi ! dit Norbert, en s'étirant devant le feu de foyer qu'a allumé sa fille Natalie. Comme vous m'avez manqué !… Tes beignes seront les bienvenus, Natalie ! La nourriture faisait pitié là-bas.

— En prendrais-tu un avec une tasse de thé fort ?

— Volontiers, que tu es gentille !

Les deux hommes s'approchent de la grande table de pin. Natalie étend trois napperons et apporte un grand plat de beignes dorés. Au passage, elle effleure de la main les cheveux de son père.

— On s'est ennuyé, tu sais. Ce soir, Gaston et Marie-Josée seront avec nous pour le souper.

— Un mercredi soir ?

— Oui, tes quatre enfants veulent être près de toi.

Marc, qui était resté silencieux, dit à son père :

— T'es-tu ennuyé de tes chevaux ?

— Et comment ! J'espère qu'ils n'ont pas maigri ?

— Je ne crois pas. Ton voisin est un gars fiable. Il les sortait même assez souvent.

— Je ne me séparerais pas de ces bêtes pour tout l'or au monde.

— Moi, non plus. Je venais m'en occuper surtout le dimanche lorsque je n'étais pas dans mes dossiers.

— Et toi, Marc, comment ça va au bureau ?

— Beaucoup de travail. J'y vais même le samedi.

— C'est bien d'être occupé, mais pas trop. Moi, j'ai trouvé le temps long à cet hôpital, c'est incroyable !

— Un autre thé, papa ?

— Non merci.

— Et toi, Marc ?

— Volontiers, Natalie.

— Que faisais-tu toute la journée ?

— Pas grand-chose. Après le déjeuner, je lisais mon *Devoir*. Ensuite, j'allais à la piscine. Après dîner, je faisais de l'ergothérapie.

— C'est quoi ça, papa ? interroge Natalie.

— C'est un moyen de réadaptation. Ce sont des ateliers où je bricolais. Regarde dans le grand sac, là-bas, si tu veux voir ce que j'ai fait.

Natalie, d'un pas empressé, se rend près de la porte, ouvre le sac et s'exclame :

— Oh, quelle jolie corbeille à pain ! Un panier à papier. Un beau mobile pour oiseaux. Tu es plein de talent, papa !

— Il s'agissait de suivre les plans et de prendre son

temps. Le soir, on regardait la télévision. Je peux maintenant vous dire le nom de tous les programmes, niais ou pas!

Onze heures sonnent.

— Est-il temps d'étrier les bêtes?

— Tu as hâte, hein, papa?

— Je vais avec toi.

Et les deux hommes, prestement, se rendent prendre soin des chevaux qu'ils affectionnent tellement.

Les trois jours qui séparent Béatrice de son congé sont intenables. Elle écrit beaucoup et s'efforce d'être parfaite afin d'éviter toute représaille.

Ce matin, elle est fébrile, son cœur bat la chamade. Anne sera là dans quelques minutes. Son congé enfin signé, Béatrice peut partir, l'âme sereine.

Rendue à l'Île des Sœurs, l'ex-patiente a la joie d'apercevoir Rose sur le pas de la porte. Sa grande sœur a pris un long congé et viendra demeurer avec Béa pour un certain temps. En entrant chez elle, Béatrice va vite à la fenêtre revoir son Saint-Laurent. Il est toujours là, qui ouvre ses bras argentés à celle qui l'aime tant, et dont il sait comprendre les inquiétudes…

Rose apporte le courrier à sa sœur; il est volumineux.

— Te rends-tu compte, un mois sans ouvrir ma correspondance!

— Tu en as beaucoup. Mais Anne a payé tes comptes.

— Merci. Je la rembourserai cette semaine.

Parties faire leurs courses, elles rencontrent Madame Beaulieu; Béa est un peu gênée, mais sa charmante voisine la rassure et les invite toutes deux à prendre le thé. C'est un rendez-vous.

Quand Rose est un peu revenue de sa surprise devant tant de jolies choses, fine porcelaine, théière en argent, minuscules gâteaux, Béatrice parle de son séjour à l'hôpital. Elle se dit fière d'en être sortie si vite. Madame Beaulieu se sent alors en veine de confidences : elle avoue prendre du lithium depuis longtemps.

— Je t'observais depuis un certain temps, je te voyais dépérir à cause de tes amours. Et je me revoyais autrefois, brisée moi aussi par un amour déchirant. J'ai vécu tant et tant de peines... Mais toi, Béa, tu es jeune, tu peux te refaire une belle vie. Prends tes médicaments et garde confiance.

— Je vous remercie de m'avoir sauvée. Sans vous, je ne serais peut-être pas ici à vous parler. Je vous dois une faveur.

Les deux femmes se comprennent et, souvent par la suite, on les retrouvera à la petite terrasse de l'Île, causant et rigolant beaucoup.

De minuscules étoiles blanches viennent atterrir sur les bancs du parc. C'est décembre. Béa, comme à chaque jour, marche plus de deux kilomètres. Dans l'après-midi, elle se gave de romans. L'œuvre complète de Marguerite Yourcenar fait ses délices. Elle accompagne l'auteure dans de grands pays féconds et fascinants comme un rêve. En ce moment, elle dévore *L'œuvre au noir*. Tout à coup, elle s'excuse auprès de sa sœur qui, pendant ce temps, lui a réparé deux robes.

— Pardonne-moi, Rose chérie, mes livres m'ont tellement manqué à l'hôpital.

— Ne t'en fais pas, sœurette, j'ai l'habitude du silence.

Après la lecture, Rose et Béa plongent dans leurs souvenirs.

— Te rappelles-tu, Béa, quand nos parents t'ont changée de nom ?

— Bien sûr que je m'en souviens, même si je n'avais que quatre ans ; j'ai été tellement traumatisée !

— Ils ont fait cela pour te rendre service, tu sais. Papa ne voulait pas que tu portes le nom d'une fille de joie, qui était notre voisine à Saint-Tite.

— Je le sais bien, mais cela m'a causé une crise d'identité. Je crois encore qu'il y a deux filles en moi.

Rose reste silencieuse un moment, puis enchaîne, pour briser l'inconfort :

— Te souviens-tu du jour où Lucie est passée sous un gros camion en marche ? Elle courait après son chat Rumba.

— J'ai été la première à la voir. Je frappais le chauffeur des pieds et des mains. Pauvre homme, il transportait Lucie inconsciente vers la maison, et je l'embarrassais.

— Comme maman était forte ! C'est comme le jour où un chien enragé a dévisagé Augustin, elle a fait preuve d'un courage inouï.

— Elle a passé la moitié de sa vie seule avec ses treize enfants.

— Bon, assez de souvenirs. Béa, sortons, allons faire une balade dans ta petite forêt.

Les bras dénudés des arbres laissent voir une belle grosse chouette ; elle chuinte faiblement et se cache dans sa cape multicolore. La marche est très longue. En silence, les deux filles écoutent le vent qui roule dans les branches et regardent avec envie les profonds sillons que les skieurs ont laissés sur la neige épaisse. Des graines de tournesols, que les marcheurs ont données aux oiseaux, jonchent le sol. Ces derniers chantent dans les bosquets. Toutes ces beautés rappellent les alentours du petit chalet de Saint-Tite.

En soirée, Norbert André, le beau Jean Marais de l'hôpital, téléphone à Béa. Il veut la voir, elle le rappellera. Béatrice se sait vulnérable et demeure prudente. Depuis sa rupture avec Vauclin, elle est sur la défensive ; personne n'a pénétré son jardin secret. Son cœur, qui était comme un chiffon froissé, commence maintenant à s'ouvrir. L'art, cette fleur divine, ravive son âme. Elle a commencé à dessiner. Restée seule, Béa lit quelques vers de Ronsard. La poésie l'a toujours fascinée. On retrouve à nouveau la femme curieuse et passionnée.

Ce matin, elle porte une superbe robe d'intérieur. Le fond du vêtement est noir tout brodé en jaune de Mars. C'est la création d'un Indien. De petits souliers de ballerine habillent ses pieds frileux. Sur le mur, le soleil, qui entre dans la maison comme s'il était chez lui, projette le beau profil de l'enseignante. Comme elle est belle, cette fille, avec son front haut, ses yeux de pierre noire, sa bouche gourmande, son visage rond et sa chevelure corbeau. La maladie a bien tracé quelques sillons malfaisants autour de ses yeux, vite oubliés quand éclate son charmant sourire. On la revoit avec les trois hommes qu'elle a aimés. Juan le matador hante encore ses nuits, cependant qu'elle voudrait bannir de sa mémoire le souvenir des deux hommes mariés qui ont volé vingt précieuses années de sa vie.

CHAPITRE II

NORBERT, OU DINO,
LE BEL ITALIEN

CE Norbert André qui veut entrer dans l'existence de Béatrice, qui est-il?

Entre les sapins, les épinettes bleues et les saules pleureurs, une allée assez longue conduit à la ferme où Norbert est né. Si on lève les yeux, on aperçoit sur un coteau des pins centenaires et une superbe maison en pierres grises. C'est là qu'avec ses parents et ses grands-parents, Norbert fait ses premiers pas. Il est choyé, dorloté, caressé par tous; il est leur rayon de soleil, leur boule d'amour, leur joie et leur vie.

Tôt le matin, alors que Azilda, sa mère, s'occupe des animaux, grand-maman Marie monte chercher le petit. Elle le débarrasse de ses vêtements de nuit et lui donne un bon biberon de lait chaud. Georges, le cadet, est déjà levé, car sa mère, avant la traite des vaches, lui a donné la tétée. Les deux enfants sont nés à treize mois d'intervalle. Les parents voulaient une grande famille mais, malheureusement, le dieu de la fécondité n'écouta pas leurs prières. Ils n'auront que deux enfants, et deux enfants bien différents. Très tôt à l'adolescence, Georges passe tout son temps dans les livres; Norbert, lui, gambade dans les champs, fait de l'équitation, conduit les chevaux, ramasse foin et avoine et se promène en tracteur. Sur cette ferme, règne la joie de vivre. On s'entend bien, on s'aime, on s'entraide.

Les grands-parents gâtent Norbert. Ils le complimentent sans cesse et lui donnent de l'argent en cachette.

— Théodore, dit la grand-mère Marie, tu le regretteras peut-être, tu exagères. Cet enfant est pourri.

— Ne t'en fais pas, ma vieille, il y a bien assez de moi qui ai manqué de tout quand j'étais jeune. On a seulement deux petits-enfants.

Norbert est ravi de se faire choyer ainsi, surtout que cet argent sert à payer ses petits copains pour faire ses devoirs. Il déteste l'école; ce qu'il désire par-dessus tout, c'est devenir instructeur de ski.

Les années passent, et Norbert a toujours son idéal. Il s'exerce à skier avec son père, Paul. Georges reste à la maison avec sa mère et ses grands-parents; il n'est pas très sportif. Il a même demandé à ses parents s'il pourrait aller au collège, car il aimerait faire de longues études. Sa mère a simplement répondu qu'ils y penseraient…

Norbert poursuit son but. Il est un peu trop indépendant au goût de ses parents. À l'école, ses absences inquiètent. C'est qu'il prend de plus en plus souvent le chemin du Nord et revient juste à temps pour le souper. On fait enquête, et voilà que Norbert doit avouer:

— Je ne vais plus à l'école, je travaille à Saint-Sauveur.

— Voyons mon fils, ça n'a pas de sens. Il faut t'instruire. Ta mère est d'accord avec moi, tu prendras la relève de nos trois fermes.

— Mais papa, je n'ai que 15 ans !

— Tu dois devenir un homme d'affaires qui gère bien sa propriété. N'oublie pas que nous aurons bientôt quatre hommes à gages.

— Laissez-moi faire ma vie, je vous aiderai entre les saisons de ski. Avec les hommes engagés, je ferai les labours, les semences et les récoltes. Je serai avec vous pour les gros travaux.

Les parents ont beaucoup de peine. Ils croyaient tellement à ce fils pour la relève. Leur chagrin est double, parce que Georges vient de leur annoncer qu'il sera prêtre.

— Azilda, que penses-tu de ce choix ? Qui a bien pu lui fourrer ça dans la tête ? Prêtre, prêtre !

— Personne, Paul. Il a la vocation.

— Et notre Norbert, je pense que mes parents l'ont trop gâté.

— Non, mon cher, il a le sport dans le sang.

Malgré ses caprices, Norbert a quand même hérité d'une vaste ferme laitière dans la région de Mirabel. Il a pris femme et a eu cinq enfants. Ses revenus l'autorisaient à vivre très largement. Un jour, il décide de ne faire que l'élevage des chevaux de course. C'est un rêve d'adolescent, mais l'industrie des courses décline. On ne lui achète plus de chevaux, mais ses paris, eux, vont en augmentant. Si Norbert s'adonne trop au jeu, c'est qu'en plus d'aimer le risque, il a une peine à noyer. Il y a six ans, une grande épreuve l'a marqué. Un matin, alors que sa femme et leur fils de 12 ans, Hugo, se rendaient chez l'ophtalmologiste, leur voiture fut happée par un train. En une seconde, ces deux êtres qui lui étaient si chers lui furent arrachés. Norbert s'enferma en lui-même, et le jeu devint sa citadelle pendant plusieurs années. Après une énorme faillite, il ne récupéra que la maison paternelle et deux bons chevaux d'équitation. S'il s'est retrouvé à l'hôpital psychiatrique, c'était pour soigner une dépression nerveuse et pour guérir aussi sa maladie du jeu. Il fait maintenant partie des Joueurs anonymes.

Béatrice est au courant de toutes ces frasques de jeu. Elle hésite à engager une relation avec l'*ex-gambler*. Elle ne veut cependant pas tomber dans l'excès de prudence. Si Norbert est un malade des courses, elle est une malade de l'amour. Rescapée à plusieurs reprises, elle se voit encore à l'aube d'une liaison amoureuse. La vie a certes inventé l'amour pour elle. *Elle se définit dans la passion*, comme le disait Camus.

Ce matin, le soleil danse sur la neige fraîchement tombée. Elle s'étire d'une clôture à l'autre. Elle accueille les pas des enfants qui partent pour l'école. Norbert et Béa sont en route pour le Nord. Leur joie est grande. La liberté des paysages les enivre.

Il est à peine plus de neuf heures. Deux autobus scolaires sont stationnés près de la Volvo noire de Norbert. Le compartiment à bagages s'ouvre, il en émerge une flopée de skis bariolés. Les jeunes, vêtus d'anoraks roses, bleus, mauves, noirs ou verts, s'affairent autour du mastodonte ronflant. Chacun prend son bagage. En moins de dix minutes, ils sont tous sur les pentes. Béa les aura autour d'elle. Impossible d'oublier que, elle aussi, elle pourrait être avec ses élèves de secondaire V. Elle fait part de son état d'âme à Norbert, qui la comprend et la rassure : « Tu retourneras bientôt à tes amours, tu vas si bien. »

Norbert et Béa dévalent la magnifique piste Caribou du mont Habitant. Il fait soleil, un degré sous zéro; c'est l'idéal pour skier. Après une dizaine de descentes, ils entrent dans un chalet tout neuf. C'est un endroit fort sympathique. Normand, le barman, les accueille. C'est un garçon grassouillet, au sourire communicatif. Le comptoir en bois pâle est décoré avec des photos de vedettes de ski. Au milieu, se trouve celle de Jack Rabbit qui, sur ses skis de fond, balance, selon le barman, ses 90 ans. Une des propriétaires des lieux côtoie Nancy Green. Il y a aussi le curé qui a béni la nouvelle construction. De gros fauteuils beige rosé, aux solides bras en érable, sont placés autour des tables également en érable. On installe Béatrice et Norbert près du foyer; ils boivent leur cappuccino très lentement et retournent dans la Grande Allée. Ces pentes sont là, à quelques mètres du chalet, et ressemblent à de longues ceintures qui attachent les montagnes.

À quinze heures, pour eux, c'est la fin des descentes. Les deux skieurs décident de retourner au chalet. Le chansonnier Turbide, des Îles-de-la-Madeleine, anime le lieu. On fredonne en chœur; Béatrice est gaie. Elle chante et bat des mains. Norbert la regarde de côté et la trouve plus que jolie. Ces tendres moments rapprochent les deux êtres qui chemineront peut-être ensemble. Le soleil jette ses derniers rayons et accompagne les deux amis sur l'autoroute du Nord. À peine deux heures plus tard, l'Île des Sœurs est en vue.

Béatrice est morte de fatigue. Pour Norbert, grand skieur, ce fut une petite journée.

— Béa, tu es fatiguée. Je vais commander le souper. Que veux-tu?

— J'adore le couscous de chez Mohammed.

— D'accord, allons-y pour le couscous.

Norbert quitte Béa très tôt. Il est encore ivre de sa chaleur et de son baiser. Lentement, très lentement, il passe son gros pouce sur sa bouche. Veut-il y incruster le goût des lèvres de celle qu'il appelle secrètement son agneau ? Norbert jouit d'une santé rustique. Son cœur et son corps ne demandent qu'à s'enflammer. Cependant, il n'ose faire des avances à Béatrice ; il craint d'être rejeté s'il se montre trop impatient, car il sait que Béatrice est encore à guérir de Vauclin Tessier. Il se refuse à jouer avec l'âme de sa compagne, comme on le fait avec un jouet pour en connaître le fonctionnement. Norbert est philosophe, il prend les choses comme elles se présentent.

Arrivé chez lui, un frisson lui glace le dos. L'odeur âcre des souvenirs accapare son être. Il revoit, là, au bout de la grande table, son épouse Éliette qui fait le service des siens. Il s'assoit à l'autre bout sans bouger. Le film des ans se déroule précipitamment : il revoit Hugo au milieu de ses frères et sœurs. Le père de famille respire difficilement. Pourquoi le destin lui a-t-il fait ce croc-en-jambe ? Lentement, il se lève et va chercher sur le dessus du poêle à bois un bocal de zinc rempli de tabac. Il sort un papier soyeux, se roule une cigarette, et l'allume avec le vieux briquet à essence de son père. Longtemps, il regarde la haute flamme en songeant : « Ce qu'il était doué, mon Hugo. À deux ans, il nous disait : *Hugo, monté ceval.* » À l'école, il apprenait avec acharnement. Il aimait lire. Les mathématiques le passionnaient... Il n'avait pas beaucoup d'amis. Ses sœurs étaient ses compagnes de jeu. Durant le temps des Fêtes, il gardait ses trois cousins à dormir à la ferme. Comme il s'amusait bien avec eux ! Au jeu d'échecs, il me battait à chaque fois. Comme il était bon ! Comme je l'aimais, cet enfant! Il ressemblait à sa mère. Il avait la même façon de parler, de rire, de me regarder...

Norbert éteint son briquet et continue: «Ah, Éliette, comme tu me manques, ma belle Éliette. Comme tu aimais jouer des tours. La vie éclatait par tous les pores de ta peau. Si quelqu'un avait du chagrin, il était sûr que tu l'en consolerais et que tu l'aiderais à découvrir une lueur dans le ciel tourmenté. Tu adorais ta famille. Tu savais fermer les yeux sur les gaffes des enfants et sur mes bêtises. (Dieu sait si j'en ai fait!) Tu encourageais plus que tu ne punissais. Je te revois, la première fois que tu m'as demandé de te donner des leçons de ski. Tu étais décidée et persévérante. Tu riais de tes maladresses et n'hésitais pas à demander conseil. Après la troisième leçon, je t'ai proposé de venir prendre un café. Tu m'as regardé droit dans les yeux et m'as dit: "À la dernière leçon, peut-être." Espérais-tu faire mentir la rumeur qui veut que tous les moniteurs de ski soient des dragueurs? Tu m'as pris à ton jeu et, à compter de ta dixième leçon, nous ne nous sommes plus quittés, jusqu'à ce maudit accident qui vous a fauchés, toi et Hugo. Cette tragédie me laisse encore fou de chagrin.

«Aujourd'hui, après six ans, je me retrouve à vouloir conquérir Béatrice. Elle aussi possède une force de caractère peu commune, elle aussi est déterminée et tenace. Béa ne veut pas se faire embobiner par le premier venu. Elle a besoin de temps pour réfléchir.»

Tard dans la nuit, on peut voir, assis au bout de la grande table familiale, les mains croisées sur le front, un cultivateur qui émiette ses souvenirs. La mine triste, Norbert ne trouve pas la force de se glisser seul dans le lit conjugal. Le petit matin le surprend endormi dans la cuisine. À neuf heures, le soleil darde ses fléchettes et se bat contre la neige. Le vent qui secoue les branches les empêche de se couvrir d'un manteau de lapin blanc. La maison centenaire craque. Norbert s'éveille très, très lentement. Il passe ses grosses mains dans ses cheveux de blé. Comme ancien instructeur de ski, il est habitué à soutenir le siège du froid. Il coiffe son vieux chapeau de castor, enfile sa canadienne et sort soigner ses chevaux. Machinalement, il sort l'étrille et commence à frotter Opéra, son cheval favori. Ivoire y passe aussi, et ce n'est qu'à dix heures qu'il entre manger ses quatre toasts et ses deux œufs. Durant ce temps, de son côté, Béatrice se prépare à aller marcher dans la tempête.

Dans un édifice tout en béton, un tapis marron aux rayures beiges s'étire dans le long couloir qui mène à l'ascenseur. Des lampes en forme de tulipe sont perchées sur les murs beige pâle. De chaque côté du corridor, une lourde porte ouvre sur un escalier qui n'est utilisé que par les écolos et les sportifs.

Béatrice ne travaille pas encore, elle a tout son temps. En milieu de matinée, elle est prête à descendre de son pigeonnier. Comme elle entre dans l'ascenseur, un homme d'une quarantaine d'années s'y engouffre également ; il transporte un objet précieux. L'ascenseur démarre mais, tout à coup, il s'arrête brusquement. La lumière s'éteint. C'est la panne ! « Oh non, pas ça ! » de s'exclamer le guitariste. « Oui, c'est ça ! répond Béatrice. Mais profitons-en et donnez-moi un petit concert. » À tâtons, Dino sort sa guitare de l'étui et prie Béatrice de tenir son briquet allumé quelques instants. Puis le bel Italien commence à chanter : Brel, Brassens, Vigneault, Dubois se succèdent. « Pourquoi ne chantez-vous pas avec moi ? » De sa plus belle voix, Béatrice s'efforce de s'accorder à la guitare… et au guitariste.

Après plus d'une heure, Dino est un peu las, et Béatrice a un impérieux petit besoin à satisfaire... Heureusement, la porte de leur prison s'ouvre enfin, et c'est une Béatrice chantante et un Dino jouant de la guitare que l'on aperçoit assis au fond de la cage arrêtée entre le dixième et le neuvième étage. Dino, galant homme, aide Béatrice à se relever. Il pose sa main très doucement sur son bras. «Je vous attendrai à la porte d'entrée, c'est d'accord?» Elle s'empresse d'acquiescer... Béatrice monte chez elle et redescend le plus vite possible. Une Audi attend devant l'immeuble. Un grand monsieur en sort et lui ouvre la portière. «Je vous enlève, le temps d'un café!»

Dans l'auto, Béatrice en profite pour examiner en détail son compagnon de hasard. Il est habillé comme un lord et sent Eau de Roche. Ses cheveux noirs comme du jais encadrent son beau visage au teint ambré, ses dents luisent dans une bouche gourmande. Il vient à Béatrice des désirs désordonnés.

— Vous êtes encore plus belle que je ne l'avais imaginé.

— Je vous en prie. Vous me rendez mal à l'aise.

— Arrêtons-nous au Village, d'accord?

— Oui, si vous voulez.

Au petit centre commercial, des dizaines d'autos dorment dans le stationnement rectangulaire. Deux corneilles, les ailes en pointe de flèche, décrivent de grands cercles au-dessus du toit de l'épicerie. À l'entrée du restaurant, trois dames âgées regardent leurs petits caniches se faire des caresses.

— Ce qu'elles sont courageuses de sortir par un temps pareil!

— Les chiens, ça n'attend pas.

— Oui... oui... en effet.

Sur la terrasse intérieure, il n'y a pas foule. Une petite femme agile comme une fourmi apporte les cafés. Béa, de sa voix soyeuse et confidentielle, amorce la conversation.

— Êtes-vous musicien à temps plein ?

— Non, je suis représentant de commerce dans le domaine des fleurs. Mon père est grossiste, et je suis heureux de travailler pour lui. Il y a déjà vingt ans que nous faisons rouler cette entreprise et ça va à notre goût. Je vais vendre des fleurs jusqu'à Chicoutimi. Connaissez-vous le Saguenay, Béatrice ?

— Un peu.

— Je vous y emmènerai un jour.

Il y eut un long silence. De belles images trottaient dans la tête de Béa.

— Les gens du Saguenay et du Lac-Saint-Jean sont très spéciaux. Ils sont ouverts et ils ont du goût. Ils sont accueillants, généreux et remplis d'imagination. Les jeunes conservent les traditions et se montrent très attachés à leur coin de pays. Il n'est pas rare d'en voir qui ont gardé la ferme paternelle et l'exploitent avec bonheur. Ces gens sont fiers dans tous les sens du terme. Comme je demeure à l'hôtel, j'ai la chance de causer avec de nombreuses personnes. Je trouve que leurs valeurs ressemblent à celles des Italiens. Ils considèrent la famille comme le pilier de la société. Ils se rassemblent souvent et fêtent beaucoup.

Béatrice est étonnée, étonnée d'être là, étonnée de trouver un petit quelque chose de flatteur à se montrer en présence d'un si bel homme. Cette attitude l'amènerait-elle à remettre en question son début de liaison avec Norbert ? Agit-elle ainsi parce que ça fait longtemps que quelqu'un s'est intéressé à elle ? Mystère ! Elle a l'air de se plaire à ce jeu, et Dino encore plus. Doucement, il avance sa main aux ongles brillants, couvre la petite main de Béatrice et la regarde dans les yeux.

— Aimez-vous les Italiens?

— Dois-je répondre à cette questions? Disons que j'adore l'Italie.

— Vous connaissez le plus beau pays du monde?

— J'y suis allée à deux reprises. Ma préférence va à Florence. Quelle ville!

— Je ne connais pas bien la ville fleurie, je n'y suis allé qu'une fois, avec mes parents, lorsque j'étais jeune. Eux, ils viennent de Bari, capitale de la Pouille.

— Je connais Bari. J'y ai même dormi. J'arrivais du Pirée.

— Vous avez beaucoup voyagé, Béatrice.

— Oui, beaucoup, et ce n'est pas fini.

Les yeux de Dino s'enflamment et il place à nouveau sa belle main dorée sur celle de Béa en lui demandant:

— Pourquoi ne dînerions-nous pas ici, il est déjà midi?

— Oui, c'est une bonne idée.

Le couple se déplace de la terrasse à la salle à manger. De gros sièges bruns, bien rembourrés, sont alignés près des tables carrées, très massives également. Des nappes bleu clair enjolivent le lieu. Des serviettes pliées en forme de chandelle sont soigneusement déposées dans de grands verres à eau. Dino et Béatrice se placent dans le coin, près du piano. Dino enchaîne:

— Vous n'êtes pas née à Montréal, Béatrice?

— Je suis née en Mauricie, à Saint-Tite de Laviolette.

— Je connais.

— Nous étions treize enfants. Ma mère était une soie, elle avait toutes les qualités et un petit défaut, elle nous aimait trop. Mon père, lui, m'aimait d'un amour exclusif: je pense que c'est parce que j'étais le portrait de sa mère, une Amérindienne. Jeune, j'étais pétillante et enjouée.

— Ça n'a pas changé !

— Si... si... je suis plus triste maintenant. Je passe la période la plus difficile de ma vie. J'ai dû quitter l'enseignement pour un temps indéterminé.

— Et là, ça va mieux ?

— Oui, mais je reste très vulnérable. Je dois éviter tout surmenage.

— Que faites-vous de vos journées ?

— Je marche, je fais du ski de fond, je lis beaucoup et je reçois des amis.

— Vous vivez seule ?

— Oui, et vous ?

— Moi, Béatrice, pour le moment, j'ai une femme, mais nous devons divorcer ; ce n'est qu'une question de mois.

Béatrice sourcille et répète pour elle-même : « J'ai une femme, question de mois. » Elle avait déjà entendu ces mots plus d'une fois, elle ne veut plus d'une telle galère.

— Aimez-vous habiter seule, Béatrice ?

— Oui beaucoup ; je suis un être de liberté. Juste à penser que je devrais rendre compte de mes allées et venues, cela me donne le frisson.

— On ne rend pas nécessairement compte de tous nos déplacements.

— Il faut vivre dans le mensonge alors...

— Non, non, non...

Le repas se passe sans passion. En ayant fait part de sa situation matrimoniale, Dino avait enlevé tout le piquant de la conversation. L'allusion du bel Italien, « Je vous y emmènerai », ne rimait plus à rien. Béatrice n'accepterait jamais une telle invitation.

— Vous semblez songeur, Dino.

— Oui, je pense que nous avons beaucoup d'affinités nous deux, cela pourrait faire une liaison durable. Nous vivons à quatre portes l'un de l'autre, et vous êtes libre, Béatrice.

— Je ne suis pas libre, mon cher, et même si je l'étais, je n'aurais jamais une autre liaison avec un homme marié.

— Nous pouvons nous voir en toute amitié.

— Il ne faut pas être naïf.

Longtemps, très longtemps, les deux quasi-étrangers discutent du bien-fondé d'une possible liaison. Béatrice met fin à cette controverse.

— Les additions s'il vous plaît, madame.

Dino proteste :

— Nous, les Italiens, nous savons être galants.

— Là n'est pas la question, Dino ; je tiens à avoir mon indépendance. Quand je te rencontrerai dans l'ascenseur, je serai plus à l'aise.

— Je peux t'accompagner chez toi ?

— Si tu y tiens.

— Je rentre aussi à la maison.

En cours de route, Dino essaie de prendre les mains de Béa ; elle résiste.

Rapidement, Béatrice s'enfonce dans son appartement. «Après tout», pense-t-elle... Elle se laisse tomber sur le divan, elle sent en elle un grand vide. Tout en douceur, elle approche la main gauche de ses narines, hume l'odeur de l'Eau de Roche sur sa peau. Elle se couche sur sa main parfumée. L'odeur de Dino lui monte à la tête. Elle n'en finit plus d'inhaler l'arôme grisant. Elle imagine le corps velu et bronzé de Dino. Elle se love autour de ses cuisses charnues. Elle l'embrasse goulûment, jusqu'à s'assoupir légèrement.

Un bruit... Béatrice écoute, se tourne vers la porte. «Je crois que ça frappe ici.» Dans son désir profond, Béa aimerait que Dino force sa porte; elle ne peut faire taire son attrait pour lui. Mais il n'en est rien. Dino est reparti au bureau, tête haute et certain d'avoir fait une belle conquête. Mais... il n'en est rien.

✦

Tout autour de l'Île, ça sent le printemps. Les toits des maisons sont fumeux. Le sous-bois est inhabité. Les gens marchent lentement, leurs regards s'accrochent à la pelouse jaunie. Certains font faire de grandes promenades à leur chien. Les autos ralentissent de peur de les éclabousser. Les jeunes enfants sortent de l'école en jacassant comme de petites pies. Un vent léger berce les arbres. Une lueur avive l'azur du ciel. Le soleil déjà chaud se déverse en riant sur la ville. Les grosses pierres servent de champs de courses aux écureuils gris. Les merles d'Amérique grattent déjà les gazons. Sur le fleuve, les glaces sont libérées; l'eau coule prestement. Partout c'est la joie, l'euphorie.

Norbert, cantonné dans sa ferme, est de belle humeur. Ce matin, très tôt, il monte ses chevaux pour qu'ils se dégourdissent les pattes. Il nettoie en chantant la trop grande écurie. Ici, on a déjà compté plus de trente bêtes. C'était le temps où Norbert était riche et heureux. Il n'est plus fortuné, mais il espère retrouver la joie de vivre. Béatrice occupe une grande place dans son cœur; il lui téléphonera ce soir, et l'invitera pour la fin de semaine.

La conversation dure une demi-heure. Norbert donne ses coordonnées, Béatrice dormira à Mirabel, samedi soir. Après avoir raccroché le récepteur, Béa demeure songeuse.

38

Elle sait que, dans quelques jours, elle aura donné une nouvelle orientation à sa vie. Tout à coup, l'image du beau Dino vient la déranger. Elle se voit avec lui au restaurant. Vite, elle éloigne cette vision. N'est-elle pas heureuse avec Norbert ? Ce mini-flirt avec le bel Italien était-il là pour la faire douter de son amour ? Pourquoi balance-t-elle toujours entre le passé et l'avenir ? Toute la semaine, Béa est fébrile ; elle prépare une petite valise de beaux vêtements qui auront l'art de plaire à l'orgueilleux Norbert.

Sur la route 15, il y a foule. Des réparations ralentissent la circulation. Deux voies seulement sont accessibles, les autres sont en chantier. De gros blocs de ciment obstruent l'accès des voies de gauche. À droite, on est à bâtir des portes coupe-son, ces espèces de grands murs décorés de colonnes magenta et bleu-violet. Ces obstacles dépassés, ça roule bien. Béatrice surveille les panneaux de signalisation. Elle voit défiler des rangées de condominiums tous pareils ; des dizaines de firmes se sont aussi installées en bordure de l'autoroute. Béatrice prend la sortie Mirabel.

Une route étroite s'ouvre devant elle. Toujours aussi traîtres, les nids-de-poule ont fait leur apparition. Béatrice est prudente, elle ralentit. Sachant que Norbert possède une maison de pierre ancienne, Béatrice surveille ces demeures centenaires. Les griffes de l'hiver transparaissent par-ci, par-là dans les coulées et sur les labours. Un soleil, semblable à celui des cartes postales, monte dans le ciel. Béatrice entrevoit la petite cabane à sucre au tournant de la route. Elle modère. Les deux gros silos décorés de bleu portent l'inscription André et Fils. Tournant son regard vers la droite, elle aperçoit au fond du cul-de-sac une somptueuse maison du XIXᵉ siècle. Elle approche lentement et n'a pas assez d'yeux pour tout voir : cette demeure aux détails bleu paon est la véritable maison normande. «Ce qu'elle est belle!», s'exclame Béatrice. Elle soulève le marteau de cuivre antique. Vite, Norbert est là, solide comme un chêne; il affiche un fier sourire: «Enfin ma Béa!»

Il étreint la visiteuse et remarque qu'elle n'a pas sa valise. Il devient inquiet et dit:

— Tu as laissé tes bagages dans la voiture?

— Oui.

— Je cours les chercher.

— J'y vais, car j'ai un bouquet pour toi.

Béatrice rapporte un magnifique cinéraria rouge violet qu'elle offre à son hôte. Il en profite pour lui donner un baiser, petit mais éloquent.

— Tiens, Béatrice, je t'installe dans la chambre de Marie-Josée.

Béatrice est rassurée. Elle apprécie la délicatesse de Norbert.

— Dis, tu veux un bon café?

— Volontiers.

L'heure du café s'étire. Béatrice brûle du désir d'aller faire de l'équitation; elle regarde dehors.

— Tu veux faire un tour à cheval?

— Certainement.

Béa monte à sa chambre, saute dans ses jeans et claironne:

— Je suis prête… Lequel est le mien?

— Celui-ci, Ivoire.

— Ce cheval a une couleur très rare. Ce qu'il est beau!

En effet, d'autant plus que Ivoire et Opéra ont été étrillés le matin même. Norbert est si fier de ses deux bêtes! Il les fait sortir, et Béatrice caresse la crinière, le garrot, la croupe d'Ivoire. L'amoureux aide sa belle à enfourcher sa monture et tous deux se dirigent vers la cabane à sucre. C'est une ancienne construction en bois de grange. Sur le toit, il y a une espèce de dôme à demi ouvert qui sert à faire passer la vapeur d'eau produite par l'ébullition de la sève. Les deux cavaliers, après s'être consultés, décident d'arrêter manger de la tire au retour de leur promenade. Ils chevauchent lentement dans la forêt. Le feu amoureux dévore Norbert. Il regarde Béa en connaisseur qui reconnaît chez elle la fille des bois.

Le ciel bleu devient aveuglant. Ça sent la sève des érables et l'odeur de l'écorce. Un petit ruisseau gonflé à ras bord sillonne la terre noire. Avec précaution, les chevaux le traversent à la file indienne. Le temps est divin. Béatrice en profite pour descendre de cheval, afin de bavarder un peu. Elle pose sa main sur le bras de son compagnon; à ce contact, elle le sent tressaillir. Elle-même ne reste pas indifférente à son charme, elle le trouve très beau. Il lui vole un petit baiser qui goûte le frais… la promenade se poursuit le long d'un sentier bordé de hêtres.

— Comme tu avais un grand domaine !

— Oui, et imagine que j'ai commencé à racheter toute la partie à notre gauche.

Après deux heures de chevauchée, les cavaliers sont de retour à la cabane à sucre, où il y a fête. Norbert, qui connaît plusieurs des invités, présente son amie Béatrice. On veut la gaver de sucreries, mais cette dernière ne goûte qu'à la tire...

Le temps est beau, les oiseaux donnent un concert. Les deux amis rentrent au bercail se préparer pour le repas qu'ils prendront au restaurant de Saint-Placide. Béa et Norbert décident de faire le tour du village avant de souper.

— Béatrice, ici à droite, tu as la vieille cordonnerie ; de chaque côté, une tannerie qui date de 1865, et la boutique de sellier qui est là depuis 1898. La fonderie, la fromagerie et la boulangerie datent aussi du XIXᵉ siècle. L'église a été rénovée dans les années 1950. Regarde Béa, c'est dans ce cimetière que reposent Éliette et Hugo.

— Ah oui ?

— Cette église date de 1852, c'est dommage qu'elle soit fermée, je te montrerais comme elle est bien décorée.

À L'Aplatha, ça sent l'huile d'olive. Le restaurant est rempli à craquer. Des plantes vertes paradent un peu partout. Au fond, près de la fenêtre, une table est réservée pour le patron, un Grec comme il se doit. Il passe et salue gentiment Norbert et Béa qui boivent leur ouzo.

Durant le repas, Béa raconte son voyage en Grèce.

— Faisais-tu partie d'un voyage organisé ?

— Non, j'étais avec Joëlle, ma copine française. Nous avons commencé notre périple par le Péloponnèse. Quelle merveille ! Ce sont Olympie et les Météores qui m'ont le plus impressionnée. Il est extraordinaire de voir ces monastères remplis de trésors, accrochés au faîte des rochers. Ensuite, nous avons visité Hydra, l'île des artistes. À chaque coin de rue, nous pouvions discuter avec un peintre ou un écrivain… De là, nous sommes allées à Mykonos, la Blanche. Tout est peint de blanc et de bleu, pour donner une impression de mer. Par la suite, ce fut Rhodes et sa Tour des Chevaliers. Là, les musées sont nombreux et superbes.

— As-tu aimé Athènes ?

— J'ai aimé l'Acropole, les musées et le National Garden. Le changement de la garde nous a bien amusées. J'ai cependant moins aimé la vie trépidante et l'influence américaine, très manifeste dans la musique surtout.

— Vivrais-tu en Grèce ?

— Ah oui ! À Hydra ou à Mykonos, par exemple.

— Tu es chanceuse d'avoir tant voyagé. Tu me montreras quelques coins du monde ?

— Si tu veux, mais je t'avertis, j'aime beaucoup les musées.

— J'aime aussi visiter les musées quand je voyage.

Le patron du restaurant s'approche d'eux et leur offre un *Metaxa*... un prétexte pour parler longuement de la Grèce.

❧

En soirée, on peut voir Béa et Norbert assis devant la cheminée. Ils se tiennent la main. Lui parle de ses enfants et elle décrit sa mère, son père et ses douze frères et sœurs. Ils parlent longuement de leur enfance. Puis, Norbert prend Béatrice dans ses bras ; il la caresse un moment avec tendresse, et lui dit : « Tu n'es pas fatiguée ? » Elle lui lance un regard complice et l'attire là-haut dans la chambre de Marie-Josée. Béatrice croque les lèvres charnues de Norbert. La face osseuse de cet homme aux yeux ardoise se trouble. « Tu me rends fou, ma belle petite sauvageonne d'amour. » Béa se sent déconcertée devant tant d'impétuosité amoureuse. Elle se ressaisit et pense : « Pourquoi me retenir, je suis si bien. » Elle se met à embrasser le visage aimé avec une fougue attisée. Norbert la soulève de terre, la transporte sur sa couche.

La lumière de chevet est tamisée, un livre repose sur une table basse, tout respire la paix. Même si, au dehors, la pluie bat les carreaux, ici, il fait si beau. Norbert a les yeux qui brillent comme des étoiles. Béa redécouvre les mots tendres, les embrasements. Des épaules jusqu'au front, des seins jusqu'aux pieds, Norbert l'embrasse passionnément. D'un geste doux, il lui saisit la taille, se renverse sur elle, lui communique sa fièvre, sa sensualité, et fait chanter la vie dans les veines de celle qui croyait tout amour perdu. Il la prend simplement, comme le fait un homme sain. Il n'y a pas de grandes déclarations, pas de promesses. Leur trouble est profond, ils restent silencieux un bon moment. La nuit les surprend enlacés ; ils s'endorment jusqu'au matin.

Lorsque Béatrice ouvre les yeux, sur la table basse, près du livre, un bouquet de fleurs des champs posé là par Norbert qui, en bas, fredonne du Jean-Pierre Ferland. L'odeur du café qui monte vers elle la fait s'exclamer : « Ça sent bon ! » Norbert ne fait ni une ni deux, il verse un grand bol de café au lait et s'amène en chantant ; ils causent un moment, puis le maître des lieux retourne chercher croissants et muffins. La matinée se passe en flâneries. Ensuite, c'est la très longue promenade à cheval. Ils s'arrêtent souvent pour admirer la nature aussi bien que pour échanger des baisers. Béa revient à la maison, les bras chargés de fougères.

Le soleil baisse dans le ciel. Sur le chemin du retour, Béa réfléchit : « Norbert m'a fait passer une magnifique fin de semaine. Il est charmant, cet homme. Moi qui avais juré de ne plus tomber dans les bras d'un homme ! Je ne regrette rien, je suis même prête à recommencer ! Je suis bien consciente que cette liaison sera durable, et je l'accepte, car plus je connais Norbert, plus je le trouve extraordinaire. »

Comme toujours, elle observe le coucher de soleil qui, ce soir, lui semble singulier. Les nuages, gris foncé, cachent un disque rose qui descend derrière la ville plus rapidement qu'à l'accoutumée. A-t-il un rendez-vous amoureux ? Béatrice s'éloigne de la fenêtre et décide d'aller dormir.

«Ma vie, pense-t-elle, est presque un conte de fées. J'ai maintenant la sérénité d'une sœur cloîtrée. J'arrive même à oublier mon séjour à l'hôpital.» Béa caresse les rides apparues sur son visage depuis quelques mois, et se dit: «Ça aurait pu être pire, mais je sens que mes nuits de ténèbres sont bien terminées.»

En ce matin de printemps, Béa est seule. Elle fait gronder son moulin à café, écoute siffler sa petite cafetière expresso, pour ensuite se diriger vers le balcon où l'attend une chaise longue. Elle s'y enroule dans une couverture de laine, tissée il y a longtemps avec sa mère, et boit son aromatique café. Le soleil lui caresse le visage; le vent soulève ses longs cheveux. Son café terminé, elle flâne, laissant couler dans ses veines l'amour que Norbert lui a offert...

Le téléphone sonne: c'est Dino, le bel Italien, qui veut prendre un café avec elle.

— Non, Dino, je suis occupée.

Maintenant plongée dans la biographie de Colette, qui la passionne, il n'est pas question de laisser sa lecture... Mais peut-être aussi a-t-elle peur d'elle-même. Trop attirée par ce Dino du diable, elle craint de se laisser aller. Elle le trouve extrêmement beau, charmeur et sensuel. Sa voix de miel l'envoûte. «Il ne faut pas tenter le démon», pense-t-elle. Béa s'empresse donc de retrouver Colette, qui l'accompagnera tout l'après-midi... L'histoire de la romancière la bouleverse. Elle trouve surtout inconcevable que son époux ait osé signer des manuscrits à sa place. Béatrice n'accepterait jamais une telle servitude. Elle est certaine que Norbert n'emploierait jamais un procédé aussi grossier, lui qui n'a aucune ruse, rien de mauvais en lui. Béatrice commence à l'aimer.

CHAPITRE III

BÉATRICE ET L'AMITIÉ

— Allô, Isella, c'est Béatrice. Je suis en Mauricie, peut-on se voir?

— Combien de temps demeureras-tu chez tes parents?

— Je quitterai lundi avant-midi. Je pourrais arrêter te voir pour le lunch, avant de repartir pour Montréal.

— C'est d'accord. Je te laisse, j'ai un client qui entre.

Après la fermeture de la librairie, Isella se rend à la conserverie de ses parents. Elle veut surprendre son père dans son bureau. Elle fait signe à la secrétaire de ne pas l'avertir, et entre à l'improviste, malgré les protestations de cette dernière; monsieur Harjen est en conférence avec un représentant.

— Bonjour, papa!

À ce moment, un grand monsieur, l'air distingué, vêtu comme un prince, se retourne soudainement. Isella vient d'interrompre leur discussion. Les yeux du représentant la scrutent. Isella se sent rougir jusqu'à la pointe des cheveux; elle est paralysée, embarrassée. Son père lui fait signe de s'approcher.

— Viens Isella, je veux te présenter monsieur Jean Moreau.

— Bonjour ; je suis désolée de vous déranger, je voulais surprendre mon père, mais c'est plutôt moi qui suis surprise.

— Ce n'est pas grave, nous avions presque terminé. Avec votre père, ça n'est jamais très long. Il sait ce qu'il veut. Nous parlions des beautés de la région.

Et du même souffle, il ajoute :

— Demeurez-vous ici, à Saint-Tite ?

— Non, je demeure à Grand-Mère. Je travaille à la librairie Désaulniers.

Dès le lendemain, Monsieur Moreau, sous prétexte de se procurer un *Atlas du Monde*, se rend voir Isella. Il flâne dans le modeste établissement, et finalement lui glisse un signet où on peut lire : « Je vous attendrai au Palace, ce soir, à dix-neuf heures. » Furtivement, à l'insu de ses clients, elle parcourt le mot tracé d'une belle écriture. Isella guette son départ. « Que ferai-je ? » Elle trouve Jean Moreau élégant et racé. Ses yeux, qui regardent droit dans les yeux, sont pleins de bonté. Ira-t-elle le rejoindre ?

Six heures arrivent. Isella ferme la librairie. Six heures cinq... elle est déjà en route vers son logis. Ses pas courent sur la neige. Sa décision est prise, elle ira rencontrer l'Inconnu. Elle monte les marches deux à deux. Le téléphone sonne... « Oui, Monsieur Moreau. Oui, je serai au restaurant à dix-neuf heures. Non... j'irai à pied, ce n'est qu'à quelques minutes. »

« Quelle robe porter ? Un tailleur, c'est plus sobre », se dit-elle. Isella fouille dans ses tailleurs, elle en a une vingtaine. Comment peut-elle cacher sa richesse quand presque tous ses vêtements portent une griffe... « Ce marron est très joli et, de plus, assez sexy. Avec mon collier de perles, ce sera parfait ! » Enfin, la joyeuse célibataire enfile un superbe manteau bleu, et se dirige vers le Palace.

48

La longue main tendue de Monsieur Moreau enveloppe celle d'Isella. Le serveur conduit les deux convives à une table d'amoureux. Comme apéritif, ce sera un Ricard pour elle et, pour lui, un Chivas sur glace. Ils étirent le moment, et causent... causent. Tout d'abord, Jean s'informe des parents d'Isella, qu'il connaît depuis deux ans, maintenant.

— Ils sont bien ; ma mère joue toujours au bridge, c'est un rituel. À chaque trois semaines, c'est à son tour de recevoir. Vous devriez voir l'assortiment de petits fours, de pâtisseries qu'elle vient chercher, ici, à Grand-Mère. Mon père, lui, travaille sans relâche. À 70 ans, il s'apprête à acheter une autre conserverie à Saint-Justin. C'est un chêne, cet homme.

— Vous l'aimez beaucoup ?

— J'aime mes deux parents, mais j'admire beaucoup mon père. Il se lève à cinq heures et besogne jusqu'à la nuit. S'il a réussi, c'est qu'il a travaillé fort. J'ai été son bras droit pendant douze ans, je l'ai vu bûcher.

— Que fait-il pour se détendre ?

— Il boit un petit gin tous les soirs et, durant l'été, il va aux courses de chevaux à Trois-Rivières.

— Est-ce qu'il gage ?

— Oui, 100 $ chaque fois. Mais il y va surtout pour voir courir les chevaux. Il les adore ; ils lui rappellent son enfance à la ferme de ses parents.

— Étaient-ils nombreux dans sa famille ?

— Ils étaient quinze.

— Comme les grosses familles du temps.

— J'aurais bien aimé vivre dans une famille nombreuse.

— Avez-vous des frères et sœurs ?

— Non, je suis fille unique mais Béatrice, ma meilleure amie, est presque une sœur pour moi.

— Comment est-elle ?

— Physiquement ?

— Oui, mais surtout psychologiquement.

— Béatrice a un visage à la fois doux et pétillant, encadré par de longs cheveux noirs. Ses yeux foncés sont ronds comme des billes. Elle est petite, environ cinq pieds, deux pouces. Son nez aquilin, pas aussi long que le mien, rappelle ses origines amérindiennes, à l'encontre de ses lèvres, très charnues. On ne peut avoir d'amie plus sincère. Elle est dévouée et généreuse. Elle est drôle. Elle rit souvent d'elle-même. On ne s'ennuie jamais en sa compagnie. Elle chante bien et fait pâmer les garçons avec qui elle danse. J'oublie de vous dire qu'elle est très jolie, sexy, charmante et disponible. Je crois qu'elle est en amour avec l'Amour.

— Oh, elle a raison ! L'amour est plus succulent que les profiteroles, meilleur qu'un grand café au lait ou qu'une bouteille de vin vieux.

— Mais souvent, il fait mal. Béa a eu plusieurs peines d'amour. Son premier amoureux, un toréador, se fit encorner en Espagne. Avec le deuxième, ça s'est mal terminé : Maurice, un Français, était marié ; mais ça, c'est une longue histoire...

Durant le repas, Isella parle de Béatrice pour ne pas se dévoiler. Jean la trouve volubile.

— Et cette grande amie, elle est dans la peine ou en amour ?

— En amour ; je vous en raconterai plus long, la prochaine fois.

Isella avait laissé échapper ces mots : *La prochaine fois.*

— La prochaine fois pourrait être samedi ?

— Volontiers, mais après dix-huit heures.

Isella s'est plu en présence de Jean. Il la reconduit devant chez elle, et dépose sur sa main gracile un baiser affectueux.

Restée seule, Isella se pose la question fatidique : « Est-il marié ? » Elle ne veut pas savoir. Elle ferme les yeux. Elle se dit que, s'il était marié, il ne l'inviterait pas un samedi !

Le reste de la semaine passe rapidement. Isella est occupée à terminer l'inventaire de sa librairie. Elle valse à travers les rayons et classe avec une particulière affection les romans d'amour ; elle en feuillette quelques-uns en soupirant d'envie... se substituant tantôt à l'auteur, tantôt à l'héroïne...

Les employés remarquent que la « patronne » est fébrile. Isella a des distractions. L'image de Jean danse au soleil. Chaque livre vendu est un baiser qu'elle lui adresse. Elle se demande si elle va lui dire que le commerce lui appartient. Certains hommes cherchent les femmes fortunées. « Non, Jean a l'air trop sincère pour cela », se dit-elle.

Le vendredi soir suivant, Isella décide de visiter ses parents. « Saint-Tite, ce n'est pas bien loin de Grand-Mère. Je ne veux pas que ma mère arrive à l'improviste demain soir. Il est trop tôt pour lui présenter Jean. » Isella est secrète. Elle ne tolère pas que quelqu'un s'immisce dans ses affaires ; or, même si elle lui en a déjà fait le reproche, sa mère est portée à arriver à l'improviste. Madame Harjen croit que sa fille est sa possession et qu'avec ses millions, elle peut tout acquérir. Isella ne lui ressemble point, et ce n'est surtout pas à sa mère qu'elle dira avec qui elle partage ses nuits et ses jours !

Samedi six heures, personne... six heures trente, toujours personne.

— M'aurait-il posé un lapin ?

Enfin, une grosse voiture hésite, et finalement arrête sa course au 948 de la 4ᵉ Avenue. Une main assurée fait résonner le gong. Isella ouvre la porte, et voilà que, confiante, elle tend la joue à Jean. Il enlève caoutchoucs, gants et manteau, et pénètre dans la vaste maison, qui n'a sa pareille que dans les revues de décoration.

— C'est inouï, que c'est beau chez toi!

— C'est un cadeau de mon père; il avait horreur de voir mes meubles en mélamine. Un jour, il m'a emmenée chez Roche-Bobois et m'a dit: «Choisis.» Il m'a aussi offert cette grande maison. «Je paierai moins d'impôt», m'a-t-il dit.

— Comme voyageur de commerce, je ne pourrai jamais t'offrir de si belles choses!

— Tu as l'air assez prospère, pourtant.

— Je survis...

♣

Il est dix-neuf heures quand le jeune couple franchit le seuil du Château Crète. Quelle splendeur que cet édifice! Dissimulée à flanc de montagne, la construction en pierres de taille semble sortie d'un autre âge. En face, la rivière Saint-Maurice est encore gelée, ajoutant à la féerie du paysage.

Une grande salle, au plafond en caissons, les accueille. Deux gros lustres de verre, en forme de larmes, éclairent discrètement. À droite, une massive bibliothèque, style Louis XV, renferme des volumes aux couvertures rouge vin, vertes et bleues. Isella, qui aime les livres par-dessus tout, en feuillette quelques-uns. De son côté, Jean examine de très grands tableaux inspirés de la Renaissance italienne. Un long canapé à quatre coussins, placé devant un foyer de pierres, les attend. Ils s'y installent, savourant à la fois la chaleur du lieu… et un bon Ricard.

Isella se relève pour essayer successivement la bergère et les trois fauteuils qui complètent l'ameublement. Elle tâte le tissu de velours rouge et revient vers son ami.

— Les fauteuils sont très inconfortables mais je prendrais bien la bergère.

Les rires et la bonne humeur sont au rendez-vous.

La salle à manger, bondée à cette heure, affiche une belle modernité. Tout est rose et bourgogne. Les rideaux ouverts laissent voir la rivière Saint-Maurice. Un épais tapis feutre heureusement le bourdonnement du service et des conversations. Le serveur conquiert le couple tant avec le menu que grâce à la carte des vins. La commande donnée, on passe aux confidences.

— Je t'ai parlé de mes parents, comment étaient les tiens, Jean ?

— Ma mère était une femme douce, patiente, intelligente, cultivée, dévouée, en somme, elle avait toutes les qualités possibles. Sa patience avait cependant des limites. Un jour, elle a mis mon père à la porte. Mon frère et moi, nous sommes allés demeurer chez les grands-parents.

— Qu'avait donc ton père ?

— Il était morphinomane.

— Quelle catastrophe ! Où a-t-il commencé cela ?

— Mon père était capitaine de bateau. Souvent, il passait de nombreuses heures sans dormir. Il a commencé à se piquer avec un ami pharmacien. Ils faisaient des paris pour savoir lequel endurerait la plus forte dose. Mon père remportait souvent… Il était costaud papa. Ensuite, il s'est mis à voyager. En Europe, il s'est fait des amis qui pouvaient lui procurer sa drogue.

Quand il était de belle humeur, nous étions heureux. Souvent, j'entendais mes parents faire l'amour. Leurs petits cris de souris m'excitaient. Mais je savais d'instinct qu'il ne fallait pas les déranger… La descente aux enfers de mon père fut longue… quinze ans. Et de plus, il se mit à boire énormément, jusqu'à perdre son emploi. Ce fut la dégringolade. Il nous battait, mon frère et moi ; c'est pourquoi ma mère a dû le quitter. C'est dommage, car elle l'aimait. Mes grands-parents paternels furent inconsolables. Mon père était leur seul enfant.

Jean continua à parler de ses parents, puis de tout et de rien. Il fit des blagues, raconta quelques histoires pour amuser Isella, y allant même d'un petit spectacle : sa voix de ténor résonna dans toute la salle. Isella le regarda, étonnée, mais elle aussi était un peu grise. Elle l'écoutait, sans même tenter de l'interrompre.

— Puis, j'ai connu ton père lors de mon passage à la conserverie. Peu de temps après, tu es arrivée dans le décor, avec ton sourire et tes yeux rieurs. Dès ce moment, j'ai su que je ne pourrais plus passer une journée sans te voir. Sans toi, ma douleur est insoutenable.

Isella se mit à rire :

— Tu es un drôle de farceur !

Les convives quittaient peu à peu la salle à manger. Jean et Isella furent les derniers à partir. Jean prit le bras de sa compagne et l'aida à s'asseoir dans l'automobile.

— On a pris un verre de trop. Pourvu que les policiers dorment…

— Ce n'est pas loin, Grand-Mère, et puis, tu dormiras chez moi, si tu veux.

Sur la route transversale des Petits Pins, un rayon de lune indiscret éclaire les jambes d'Isella. Jean ne reste pas

54

insensible aux charmes ainsi dévoilés, lui qui fut toujours fasciné par les jambes des femmes. Isella sent bientôt sa main plonger dans son entrecuisse satinée. Elle lui fait signe d'arrêter la voiture, puis, lui enlevant sa chemise dans une hâte démesurée, elle embrasse sa poitrine velue, elle promène ses lèvres sur tout son visage. À leur tour, les mains de Jean se font curieuses. Il découvre ses contours féminins. L'exiguïté du siège les gêne, ils passent sur la banquette arrière. Certains vêtements revolent un peu partout. Jean attire Isella sur lui. Il prend son visage dans ses mains et mange sa bouche comme s'il dégustait un fruit tropical. Il poursuit sa descente des lèvres aux seins. Ils se caressent. L'habitacle bouillant se remplit de murmures. En pleine nature, sous une lune du mois de mars, Isella et Jean s'unissent pour la première fois…

Les flâneries du dimanche enchantent les deux amants. Jean n'est pas très volubile, quand il s'agit de sa vie intime. Que cache-t-il ?

L'amie Béatrice passe cette même fin de semaine seule avec ses parents. Lundi, en traversant Grand-Mère, elle s'arrête pour dîner avec sa grande amie Isella, qu'elle trouve radieuse. Les deux complices se marrent au récit des aventures d'Isella. Béatrice s'exclame :

— Que tu me fais penser à moi avec mes hommes mariés !

— Tu crois que Jean est marié ?

— Je ne peux pas en juger, je ne le connais pas.

— Comme je serais déçue en ce cas ! Je ne veux pas me cacher toute ma vie comme tu l'as fait, ma Béa.

— J'ai choisi cette façon de vivre. J'ai eu de très bons moments, et les mauvais, je les ai oubliés. Tu vois, toi, tu es à l'aube d'un amour et déjà, tu as le cœur brisé.

— Je lui demanderai carrément : « Es-tu marié ? »

— C'est ça, Isella.

Il est déjà quinze heures ! Mais, étant propriétaire, Isella peut se permettre de revenir tard au travail.

— Te souviens-tu lorsque je t'ai appelée après notre première sortie avec un garçon ?

— Oui, je t'avais demandé...

— Comment est-il ?

— Il est aussi grand que papa. Ses cheveux sont noirs comme les tiens, avec une mèche qui lui retombe sur le front. Ses yeux sont pers.

— Et ensuite... ensuite !

— Il a un plus beau nez que le mien, petit et retroussé. Sa bouche... sa bouche, elle goûte bon.

— Est-il gentil ?

— Il est attentif, poli et intéressant. Je lui ai parlé de toi.

— En mal ?

— Oui... je lui ai dit que tu étais ma meilleure amie au monde.

Le soir tombe, et les deux jeunes filles se confient encore longtemps.

Pendant ce temps, Jean est rentré chez lui, à Québec. Sa fin de semaine l'a fatigué ; avant tout, il désire prendre un verre. Il pense à Isella. Dans la salle à manger, il aperçoit la photo de sa mère, qui lui sourit et semble approuver son amour nouveau... Dans le bar de chêne brun, une panoplie de bonnes bouteilles. « Que vais-je choisir ? Un Cointreau, un bon cognac ? » Assis sur le divan moelleux, il enlève son soulier, se tâte le gros orteil et constate qu'il est rouge, chaud et douloureux. Pauvre Jean, il souffre de la goutte. Il n'a plus qu'à aller au lit, en plein jour !

CHAPITRE IV

LES VACANCES

Il est loin le temps où Isella se jetait au cou des hommes mariés. D'autre part, depuis la dépression de Béatrice, les deux amies se sont beaucoup rapprochées ; elles décident d'aller passer quatre jours au Rouet, à Val-David. Au bout d'une route qui serpente entre de robustes sapins, elles aperçoivent la coquette auberge, trois bâtiments blancs adossés les uns aux autres. Des volets verts, égayés de fleurs rouges, veillent aux fenêtres.

En entrant, un bureau d'admission très discret. Sur le comptoir, de petites enveloppes brunes où l'on dépose les pourboires, et un plat d'argent qu'on remplit plusieurs fois par jour de menthes rafraîchissantes. En gravissant le long escalier qui mène aux chambres, on découvre, à l'étage, un immense salon dont l'éclairage tamisé aussi bien que les fauteuils dodus invitent à la détente. Le magnifique foyer de pierres grises et le piano, toujours ouvert, ne font qu'ajouter à la chaleur du lieu. Dans la véranda qui referme la pièce, des tables de jeu attendent les adeptes du backgammon, du scrabble ou du bridge. Quant au lecteur en quête de paix et de silence, il n'aura qu'à se réfugier sur la mezzanine, aménagée à cet effet.

La caractéristique du Rouet, c'est l'amitié. Les échanges entre skieurs sont empreints de chaleur et de joie. Béatrice, qui en est à son cinquième séjour, s'amuse de l'étonnement d'Isella devant tant de pittoresque bonhomie. Au souper, on déguste avec un appétit d'enfant des mets tous plus succulents les uns que les autres. La soirée, passée à jouer et à chanter, se termine assez tôt, car demain la montagne attend les skieurs.

Jeudi, Béatrice décide de ne pas suivre Isa en ski. Elle a comme programme pour la journée : massage, marche et lecture. Pour la première fois, elle essaiera le massage Trager, qui procure, paraît-il, une véritable aisance corporelle. À neuf heures et demie, une petite bonne femme, toute rousse, se présente au salon. Béa l'attend. Quel sourire, quelle main chaleureuse ! «Je suis Monique Légaré, dit-elle d'une douce voix. Nous allons descendre dans la salle de massage.» La pièce est simple et bien aérée, son ambiance incite à la détente. La table, bien rembourrée, est confortable. Monique invite Béatrice à formuler ses attentes et ses besoins.

— Je veux un bon massage. Je veux tout simplement me détendre.

— Durant ce massage, vous ne fournirez aucun effort, ni physique, ni mental. Vous allez vivre une séance de laisser-aller. Ce massage est doux et dure plus d'une heure.

— Je vous fais confiance.

Monique recouvre Béatrice d'un drap chaud. Par les mouvements de ses mains sur le corps de Béa, elle cherche à connaître le degré de souplesse et de liberté de sa patiente. Maintenant, le massage prend la forme d'une succession de balancements, de tractions, d'étirements, d'oscillations, de vibrations. Béatrice est tendue. Ses épaules résistent.

— Votre résistance, Madame Bélisle, n'est qu'une occasion d'être plus sensible. Ne combattez pas. Ne faites que lâcher prise.

— Je suis venue ici avec l'intention de me détendre, dit Béa. Je veux sentir mon corps m'habiter véritablement.

— En ce moment, vous améliorez votre corps et votre esprit.

— Je me sens en confiance et détendue. Je sens beaucoup d'empathie en ce moment.

Le calme se fait. Béatrice se sent dépoussiérée et, de plus en plus, *effacée*. Durant un court instant, elle regarde les bougies qui scintillent. La fumée de l'encens serpente dans les airs. Elle ferme les yeux et, emportée par le parfum d'oranger, vogue, dérive peu à peu jusqu'à la Ronda... Elle est nue dans l'herbe fraîche, s'abandonnant aux mains inconnues d'un Beau Brummell. Des doigts basanés enveloppent son dos. Curieuse, elle se retourne et aperçoit, dans un demi-sommeil, Juan, son premier amour. Elle sourit et se laisse faire naufrage sous ses caresses...

Les mains de Monique remontent lentement le long des trapèzes jusqu'à la nuque ; elles progressent jusqu'à la tête, qui semble bouger d'elle-même et qui devient de plus en plus lourde. « C'est ça, lâcher prise », murmure-t-elle tout bas. De longs mouvements sollicitent tout le cou jusqu'au sternum et à la pointe des épaules. Ce travail plus précis isole chaque vertèbre dans de subtiles rotations cadencées. Elle dodeline, roule merveilleusement. Béa semble ne plus s'appartenir. Chaque partie du dos est travaillée séparément. « Tout mon corps pétille. Je viens de connaître un confort inconnu jusqu'ici. » Béa soupire de plaisir.

— Reposez-vous, Madame Bélisle. Je reviens dans cinq minutes...

De retour auprès de sa cliente, Monique l'aide à se relever et fait quelques pas avec elle, tout en lui soutenant légèrement la tête. Béatrice avoue ressentir un bien-être inouï.

— Mais c'est vous qui êtes extraordinaire ! Vous avez lâché prise, c'est vous qui avez bien collaboré.

Les quatre jours se déroulent donc de belle façon, presque trop vite. « C'est un paradis, ce Rouet ! » « Oui Béa, et j'y reviendrai. »

Sur la route du retour, les deux amies parlent, parlent. Isella laisse Béatrice à Montréal. Il est environ vingt heures lorsqu'elle arrive chez elle, à Grand-Mère. En ouvrant la porte de la maison, une forte odeur d'alcool lui monte au nez. Elle a peur. Toutes les lumières sont allumées. Des voleurs, pense-t-elle. Oui, des cambrioleurs, des malfaiteurs sont passés. Isella est sidérée lorsqu'elle aperçoit le grand miroir recouvrant un mur du salon tout fracassé. Des parcelles de verre jonchent les tapis et les fauteuils. Elle a le cœur serré. Des bûches de bois qui ont servi à ce méfait traînent partout dans la salle à manger. Elle se fraie un chemin entre la vaisselle cassée et les chaises renversées. Les photos de ses parents sont maculées de vin rouge. Les tentures sont encore humides de champagne. Dans sa chambre, c'est la désolation. Son lit est tout souillé de sang. Que s'est-il passé ? Les tiroirs de son bureau sont éventrés. Les sous-vêtements sont, eux aussi, rougis et tout éparpillés. Les boîtes à bijoux sont sens dessus dessous, les voleurs ont fait d'amples provisions. Isella se met à la recherche du téléphone, et compose le 911. En moins de huit minutes, deux policiers arrivent en courant, presque. Quel désordre ! Isella lance de petits cris de chat blessé, elle retient ses larmes. Un des agents s'empresse de lui dire :

— Nous sommes déjà sur la piste de ces vandales. Ils sont tout simplement odieux. Ils ont dévalisé cinq maisons depuis une semaine.

— Je ne veux plus rester ici.

— Avez-vous une place pour dormir, ce soir?

— Oui, des amis habitent sur la Cinquième, j'irai dormir chez eux.

L'autre agent, un costaud de six pieds, sort des formulaires. Isella n'a pas le cœur à répondre à toutes ces questions. Elle n'a qu'une idée : sortir, quitter cette maison.

— Ah, voyez! s'exclame un des policiers, ils ont brisé la vitre, et c'est ici qu'ils se sont coupés. Que de sang par terre!

Ils continuent leur inspection. Ils examinent la penderie : de beaux manteaux souillés de sang sont restés là sur le sol. Les manteaux de fourrure et de cuir, eux, ont disparu. Un précieux bibelot, une pyrite du Pérou, a été lancé dans le miroir de la chambre. Tout n'est que fouillis.

Après avoir fermé la double fenêtre, les policiers escortent Isella chez ses amis. Elle ne dort pas de la nuit et, à neuf heures, elle est à sa librairie. Elle signale sa présence à ses employés et retourne à sa maison dévastée. Elle engage une équipe de ménage et leur dit de se mettre des gants de caoutchouc à cause du sang.

À midi, le téléphone sonne, c'est Jean. Isella lui raconte son malheur. Il lui dit : «Je serai avec toi sous peu, je suis à Québec.» En arrivant, il trouve sa bien-aimée très pâle. Il se heurte à une cohorte de personnes qui font des travaux ménagers. Il les voit gantés, promenant des torchons par toute la maison. Un jeune garçon, agenouillé près du sofa, ramasse les parcelles de verre incrustées dans le tapis persan.

— Tu n'es pas blessée, Isa, c'est l'important. Si tu veux, je vais t'aider à noter tout ce qui est abîmé et, surtout, tout ce qu'on t'a volé.

La liste est longue. Tous les bijoux ont disparu. Isella est accablée. Ses idées vont trop vite. Elle veut déménager et, en effet, elle partira de ces lieux. Une semaine plus tard, les papiers notariés sont signés. Isella se trouve propriétaire de la maison Ayotte, à Sainte-Flore, près de Grand-Mère. Depuis longtemps, cette belle maison en briques rouges, ses longues galeries la fascinaient, son air ancien l'attirait. En moins d'une journée, les meubles sont en place et la vaisselle, dans les armoires. Béatrice, informée du vol, arrive à Sainte-Flore.

— Lorsque tu es décidée, tu n'y vas pas par quatre chemins!

— Oui Béatrice, mes parents ont payé tous les frais du déménagement. Je n'ai pas eu à toucher une seule boîte!

— Comment trouves-tu le voisinage?

— Magnifique, c'est un village tranquille où il fait bon se promener, même tard le soir, où on est en parfaite sécurité. Pour te dire toute la vérité, avec mon Jean, je serai à l'abri des regards indiscrets. De plus, j'ai toujours rêvé d'habiter la maison de ce peintre, qui était un ami de la famille.

— Les champs tout autour me font penser à la terre de Norbert.

— En parlant de Norbert, comment ça va entre vous deux?

— Ça va très bien; c'est lui que j'ai choisi, finalement.

— Et ton bel Italien?

— Toujours le même scénario... Il était marié.

— Ne le sont-ils pas tous ? dit Isella en riant.

— Est-ce que Jean est marié ?

— Hélas, oui... Mais, rien à faire, je l'aime déjà !

CHAPITRE V

BÉATRICE HEUREUSE

En ce matin de printemps, Béatrice est à Mirabel où Norbert règne en monarque.

— Il me faut semer les légumes aujourd'hui, Béa.

— Je vais pouvoir t'aider, mon chéri. Je sais comment il faut s'y prendre.

— D'accord.

D'un pas lent, les deux amoureux se rendent au hangar et en ressortent avec de petites enveloppes multicolores. Norbert porte aussi un sceau où sont déposés des morceaux de pommes de terre.

— Je commence par les patates, Béa.

— Je me charge des betteraves et des carottes. Où les plantes-tu ?

— Là, près du saule.

Autour d'eux, une quiétude rose enveloppe l'air. Norbert et Béatrice vont de sillon en sillon ; la terre se retourne mollement. Le vent berce doucement les saules pleureurs. Une mouette virevolte et crie son égarement. Près du rosier, les pinsons nouveau-nés appellent leur mère. Les buissons frissonnent sous les sautillements des geais bleus.

Avec minutie, Béa laisse glisser entre ses doigts les précieuses graines. Norbert, qui a terminé de son côté, s'approche de son amie et pose en silence sa grosse main sur la sienne... Avec passion, leurs lèvres se rapprochent pour échanger un baiser, plus que suave dans cet univers amoureux.

Le soleil qui plombe invite au repos. Des papillons orangers et bruns clignotent au ciel de midi. Norbert prend Béatrice par la taille et la conduit sur le patio où ils dégusteront un succulent pique-nique, suivi d'une courte sieste.

— Mais qui ça peut être, en plein après-midi?... Ah, c'est mon fils!

Deux yeux rieurs, bleus comme la mer Égée, vous observent discrètement. Un front froissé par le soleil d'après ski, des joues en santé, un nez un peu camard... le tout perché à plus de six pieds. Norbert est fier de cet aîné, maintenant âgé de 34 ans et avocat à Montréal.

— Papa, tu n'as pas honte de faire travailler tes invités?

— Pas du tout! Marc, tu connais Béatrice?

— Oui; bonjour Béatrice.

Le fils André contemple l'amie de son père. Il lui vient des désirs impudiques. Comme il la trouve belle! «Une vraie femme en santé, mince, et avec de trop beaux seins...» Les mains graciles de Béa n'ont pu serrer la sienne parce que pleines de terre. Il aurait aimé le contact de ses doigts chaleureux.

— Tu patientes, Marc, on termine dans cinq minutes.

— J'ai tout mon temps car ma cause est remise à jeudi.

Béatrice, vêtue d'une jupe paysanne, termine l'ensemencement des choux. Marc ne demande pas mieux que de la voir circuler entre les rangs frais semés, et pense: «C'est une superbe femme comme elle que je veux trouver.» La tâche terminée, les mains nettoyées, Norbert offre à ses hôtes un verre de vin blanc frais. Marc est un peu intimidé, craignant que Béatrice ne lise dans ses pensées. Il devient plutôt froid, et s'adresse surtout à son père.

— As-tu fait beaucoup de ski cet hiver?

— Oui beaucoup, au moins trente fois.

— Les conditions étaient-elles bonnes?

— Idéales!

— Où skiais-tu?

— Au mont Blanc et à Tremblant.

— Et vous, Béatrice, faites-vous du ski?

— J'ai eu le plaisir d'aller sur les pentes avec votre père. Il était patient, et nous avons fait du beau ski.

— Pour ma part, je n'ai skié qu'une dizaine de fois. J'ai été très paresseux cette année; il faut dire que ma profession m'accapare beaucoup.

Béatrice, voyant son interlocuteur baisser les yeux, le regarde fixement et lui dit: «Il y aura l'hiver prochain, et l'autre hiver, et un autre encore...» Mais Marc n'écoute pas ce que dit Béatrice, il est absorbé dans ses pensées. «Dieu qu'elle est belle, quels beaux yeux noirs! Elle a un corps de déesse. Et comme elle doit sentir bon!» Norbert vient interrompre ce délire intérieur.

— Tu manges avec nous, Marc?

— Oh non, papa, je dois vous quitter bientôt. Et vous deux, vous partez demain matin pour Saint-Tite.

Béatrice ne dit mot, mais n'en pense pas moins: «Comme ce grand jeune homme doit être préoccupé, il est souvent dans la lune.» Elle le voit s'éloigner vers sa voiture, tout en reconnaissant qu'elle le trouve très beau...

❦

En ce superbe jeudi de mai, Béatrice et Norbert se rendent en Mauricie. Les parents de Béa les accueillent chaleureusement. Au bout d'une heure, on retrouve Norbert avec Monsieur Bélisle. Ils discutent des semis préparés la veille et, surtout, des beaux chevaux que Norbert aperçoit à l'orée du bois…

— Je n'en ai plus que quinze. Aujourd'hui, on se sert de débusqueuses et de tracteurs dans les chantiers.

— Utilisez-vous les motoneiges ?

— Oui, pour glisser les arbres abattus là où les tracteurs ne passent pas.

D'un pas lent, les deux hommes se rendent près du petit bois.

— Vous avez de belles bêtes, Monsieur Bélisle.

— C'est ma fierté.

— Moi aussi, j'ai deux beaux chevaux d'équitation.

— Ma Béa doit être heureuse de les monter.

— Elle adore se promener sur mes terres, c'est une très bonne écuyère.

— Je me souviens que, lorsqu'elle était jeune, elle voulait toujours qu'on la grimpe sur le dos des chevaux, et elle était tenace ! Mais, à cause de sa gentillesse, on cédait toujours.

— Vous avez une fille en or, Monsieur Bélisle. Je ne la connais que depuis sept mois, mais j'y suis fort attaché. Et déjà, je dois m'en séparer pour aller travailler au Pérou, une promesse que j'ai faite avant de la rencontrer… Je ne lui ai pas appris la nouvelle, je n'ai eu la confirmation que ce matin. Je ne voulais pas briser le plaisir de son voyage.

— Elle aura beaucoup de peine, croyez-moi.

— Je ne serai pas trop longtemps absent, ce n'est que pour trois mois.

— Elle aussi s'est attachée à vous. Elle nous parle souvent de votre belle relation.

— Depuis le décès de ma femme, c'est la première fois que je rencontre quelqu'un avec qui je pourrais refaire ma vie.

— Je vous comprends. Béa a de si belles qualités.

Arrivés à la maison, les deux hommes trouvent une table bien garnie. Le repas se passe dans la joie. On bavarde beaucoup. Norbert, qui veut tout savoir de Béatrice, apprend que, enfant, elle était très indépendante; elle se rendait souvent seule dans la petite maisonnette à l'orée du bois pour y cacher ses précieux souvenirs. Ou encore, qu'elle allait au gros ruisseau et qu'elle s'y baignait nue.

— Au pensionnat, Béa s'ennuyait beaucoup. Je crois qu'elle simulait de gros maux de gorge pour nous retrouver, raconte sa mère.

— J'aurais aimé voir ce petit bout de femme. Elle devait ressembler à ma Marie-Josée, gourmandise en moins.

— Je suis gourmande, Norbert, même si, jusqu'à ce moment, j'ai réussi à te le cacher!

— Oh oui, elle aime bien manger, et depuis longtemps! Souvent, elle venait sentir dans mes chaudrons et demandait: « Qu'est-ce qu'on mange? »

Le repas terminé, les hommes se rendent sur la troisième ferme de Victor. Ils trouvent près de la maison de magnifiques rosiers sauvages qui fleuriront en juin. Deux belles corde de bois longent la clôture, au sud de la petite maison blanche. Au pied de la côte, à l'abri d'un enclos de broche, cerisiers, pruniers, noisetiers se gavent de soleil.

— Il doit y avoir une belle récolte ici.

— Oui, et à l'automne, ma femme fera provision de confitures et de noisettes dont nous nous régalerons tout l'hiver.

À nouveau réunis autour d'un thé odoriférant, ils reprennent de plus belle leurs confidences. Norbert se livre peu. Il parle surtout de ses quatre enfants vivants, le spectre de Hugo lui étant intolérable. Pour changer la conversation, Béa parle des Amérindiens de la Haute-Mauricie qui viennent parfois se servir de farine et de graisse dans le garde-manger de la pourvoirie de son père. Pour eux, ce n'est pas un vol, car ce campement se trouve sur leurs terres, et donc leur appartient.

— Un jour, je suis allée au camp de papa, à Sanmaur, et j'ai vu beaucoup d'Indiens près de la petite gare. Quelques-uns mendiaient, d'autres demandaient à acheter de l'alcool, et tout ça, en anglais, leur deuxième langue. Leur chasse étant terminée, ils n'avaient pas grand-chose à faire. L'arrivée du train est alors leur attraction préférée. Les femmes placent leurs petits dans un *nagane*, un petit siège en bois qu'elles peuvent ancrer dans le banc de neige, et se promènent tout en surveillant, de loin, leur progéniture.

— Tu es chanceuse d'avoir vu ces Amérindiens ; je suppose qu'ils vivent encore de façon traditionnelle.

— En effet, ils n'ont ni stéréo, ni télévision. La chasse et la pêche sont leurs préoccupations principales.

— Un jour, j'en ai engagé six, dit Victor, pour bûcher du bois ; ils étaient assez habiles, mais le temps de la chasse venu, ils ont pris la clé des champs.

Victor propose ensuite à Norbert de visiter une autre partie de sa terre. Les deux hommes partent vers une petite maison grise, lovée dans un creux de terrain. Norbert aime le côté idyllique de cette campagne. La beauté, la suavité du paysage, l'air de bonheur que respirent les êtres et les choses l'enivrent. Il est charmé par la famille Bélisle. Le naturel de Béatrice lui vient d'ici. En ce moment, il voudrait la prendre dans ses bras, l'étouffer contre son cœur.

Avant de partir, Béatrice fait le tour du propriétaire. Une sorte de sensualité se dégage de ces lieux. De beaux bouleaux couleur crème se tiennent bien droits entre deux mélèzes. Plus loin, près de la grange, trois érables argentés veillent sur un petit arbre d'amour. Sur le lac, un huard plonge et réapparaît bientôt, faisant entendre un victorieux jodel. Béa ne se lasse pas de ces beautés. Elle sent un pincement au cœur, car elle a peine à quitter cette féerie pour se retrouver en ville, entourée de béton. Heureusement, elle a Norbert, sa ferme où elle va passer toutes les fins de semaine, ses quatre enfants qui les retrouvent tous les quinze jours. Ces enfants, elle commence à les aimer. Marc, avec ses séjours dans la lune, Marie-Josée et ses manières de petite mère, Natalie, éprise du voisin, un cavalier hors pair, et Gaston, collé à son intellectualisme croissant.

Béatrice fait le tour du potager qui couve ses trésors encore enfouis. Elle hume la terre fraîchement retournée, s'agenouille et l'embrasse, geste qu'elle a vu faire par son père tant de fois.

Norbert l'attend patiemment sur la galerie en observant les dizaines d'oiseaux, merles d'Amérique, carouges à épaulettes, chardonnerets qui picorent dans le gazon; il ne veut pas arracher Béa trop brusquement à son paradis.

Les parents sont à traire les vaches. Les deux amants viennent les saluer et partent vers la grande ville. Norbert conduit au rythme des battements de son cœur. Il est distrait, tendu, absent, préoccupé. Béatrice remarque la nervosité de son compagnon, mais ne dit mot. Norbert ne se décide pas à lui annoncer la nouvelle de son départ pour le Pérou, où il ira faire du bénévolat avec son oncle missionnaire. Le couple s'arrête à la Porte de la Mauricie. Norbert est songeur et anxieux ; il regarde Béatrice qui mange avec appétit, tandis que lui, nerveux, a peine à avaler.

— Ça va, mon chéri ?

— Oui, ça va.

À l'Île des Sœurs, Norbert ne peut plus contenir son émotion. Il dépose les bagages dans la chambre et attire Béa près de lui. Il lui explique :

— Béa, tu sais, avant de te connaître, j'avais fait application pour aller faire du bénévolat au Pérou ; eh bien, ce matin j'ai reçu une réponse positive. En principe, je dois partir d'ici quatre mois.

— Quoi ? Tu seras loin de moi... Pendant combien de temps ?

— Pendant environ trois mois.

— C'est trop dangereux au Pérou ! Il paraît que les adeptes du Sentier lumineux détruisent tout sur leur passage.

— Je crois que je serai loin du secteur où ils sévissent. C'est, en tout cas, ce que m'a dit oncle Georges.

— Tu pourrais faire du bénévolat ici !

— Les besoins ne sont pas les mêmes qu'au Pérou.

Béatrice détache ses bras du cou de Norbert, elle s'assied sur le fauteuil en face de lui. Un grand silence règne dans l'appartement. Tout à coup, n'en pouvant plus, elle éclate en sanglots. Norbert, mal à l'aise, s'approche d'elle, pose un genou par terre et laisse tomber sa tête sur les genoux de celle qui étouffe de chagrin.

— Je vais mourir d'ennui, Norbert.

— Moi aussi, Béa. Tu aimerais donc que j'annule tout ?

— Non, je ne puis te demander cela.

— Nous nous écrirons, et puis, il te restera les enfants. Vous continuerez à prendre le repas du dimanche ensemble.

Je te donnerai une clé de la maison et de l'écurie. Tu viendras te ressourcer et faire de l'équitation aussi souvent que tu le voudras.

— J'aurai tes enfants, les chevaux, mais toi, oui toi, tu seras à l'autre bout du monde !

— Tu pourrais venir me voir.

— On verra, on verra.

Béatrice prend la tête de son amoureux entre ses mains, elle le regarde droit dans les yeux et deux grosses larmes jaillissent.

— Je n'ai pas voulu te parler de tout cet engagement avant, car j'étais presque certain d'être refusé, vu mon âge.

— Mais tu n'es pas vieux, mon chéri !

— Il faut surtout avoir une bonne santé pour travailler en ces lieux.

Béatrice est atterrée par cette nouvelle, elle ne trouve plus de mots pour exprimer son désarroi. Le silence se fait, trop lourd.

— Viens-tu dormir, ma Béa ?

— Comment veux-tu que je dorme après une telle nouvelle ?

— Nous avons quand même quelques mois devant nous, durant lesquels j'entends bien m'occuper de toi.

— Malgré tous tes efforts, j'aurai toujours ton départ en tête.

Dans la nuit, Norbert perçoit tout à coup les frissons de Béa qui pleure en silence

— Tu as mal, mon lapin.

— Oui, Norbert, trop mal.

Et jusqu'au matin, Norbert et Béatrice passeront leur temps à se demander : « Dors-tu ? »

Dès l'aube, Norbert propose à Béatrice de l'accompagner à sa ferme. Il ne veut plus la quitter, il désire la sentir près de lui. Il aimerait qu'elle acquiesce à sa décision, mais il n'en est rien. Béatrice refuse et se ferme comme une huître. Norbert est tenté d'annuler son engagement, mais à ce moment, Béatrice montre plus de compréhension.

— Tu es bien libre, mon chéri, mais tu vas me manquer.

— Toi aussi ; je compterai les jours autant que toi !

Arrivée chez Norbert, Béatrice veut être seule ; elle court à l'écurie trouver Ivoire, l'inonde de larmes et part le faire gambader. Elle l'arrête entre deux pins bleus et lui fait croquer deux carrés de sucre. « Je sais que cette pratique n'est pas bonne, mais pour une fois, tu ne contracteras pas de mauvaises habitudes. Tu ne commenceras pas à nous mordre pour avoir du sucre. » Béatrice remonte en selle et se lance dans la prairie. C'est son exutoire, sa folie passagère. Ce frais matin de mai l'apaise peu à peu, mais ses larmes coulent encore ; elle se répète : « Non... non... non... » Il lui est difficile d'accepter le départ de Norbert. Ils sont ensemble depuis plusieurs mois, elle partage tout avec lui ; et grâce à lui, son congé de maladie lui semble moins pénible, même si elle sent encore sa fragilité. Elle a hâte de revoir l'école. Elle croyait finir l'année avec ses élèves, mais son médecin a reporté son retour au travail en septembre.

« Déjà huit heures, Ivoire doit avoir faim. La fuite n'arrangera rien dans la suite des choses. La vie me donne encore quelques mois avec Norbert, je devrais l'apprécier. » Béatrice fait demi-tour et galope vers la maison. Elle couvre son cheval ; elle reviendra le nourrir et le brosser dans une heure. D'un pas décidé, elle accourt vers la maison où, de la fenêtre, Norbert la guette. Le café fume déjà. Attablés, les amoureux se regardent sans parler, mais ils se comprennent. Béatrice sourit, et Norbert remarque que son visage est plus détendu. Avec assurance, Béatrice prononce ces quelques mots : « Je t'attendrai. »

De beaux mois d'amour commencent pour eux. Ils s'empressent de déjeuner et partent marcher dans la forêt. L'économie de mots laisse place à une nouvelle sérénité. Béatrice et Norbert pénètrent dans les bois et se tiennent par la main comme de jeunes adolescents.

— J'ai une surprise pour toi, Béa ; je suis allé magasiner les voyages, et je t'enlève ! Si tu es d'accord, nous partirons pour Cuba vendredi prochain.

— Chouette ! J'avais justement le goût de partir.

— J'ai choisi cette destination parce que c'est une des seules que tu ne connais pas, toi qui as parcouru le monde entier.

— Il me reste encore beaucoup de pays à visiter. Je ne connais ni la Chine ni le Japon. Et aussi, j'oubliais l'Australie.

— Nous irons en Australie pour notre voyage de noces...

— Tu en as des idées !

— Je veux tellement tout partager avec toi !

— Tu sais que je suis contre le mariage. La femme y devient esclave. Sa vie se résume en popote, ménage, lavage... Sa liberté est brimée.

— Je ne suis pas sérieux avec le mariage. Je te préfère libre et rebelle, comme mes chevaux. Je n'ai pas besoin de papier ou d'anneau à ton doigt pour savoir que je t'aime.

— Quoique, une bague, je ne détesterais pas, dit Béatrice en riant.

La semaine passe en un clin d'œil. Les préparatifs et les valises égaient la routine de Béatrice. Elle ne pense qu'aux plages et à la mer qui l'attendent. Norbert, voyant la bonne humeur de Béatrice, croit qu'il a réussi à se faire pardonner son séjour au Pérou.

Gaston reconduit Béa et Norbert à l'aéroport de Mirabel. Une tenue sport et un grand col échancré laissent entrevoir que l'intello est quand même soucieux de sa personne. Béatrice voit dans ses magnifiques yeux noirs le reflet de son père. Il a hérité de sa mère d'une chevelure châtain foncé. Il adresse un large sourire à Béatrice avant même de saluer son père. Après la grosse peine de cœur que lui a causée une certaine Laura, il s'emploie à cicatriser son âme sauvage. Heureux de faire une grosse bise à l'amie de son père, il insiste déjà pour venir les chercher au retour. Quel est ce dévouement soudain, lui qui est si indépendant d'habitude ? C'est son secret.

Dans les airs, Norbert presse la main de sa bien-aimée. Il la trouve si jolie, il en est si fier. L'hôtesse s'approche d'eux et leur propose : « Un peu de rhum ? Brun ou blanc ? » Après avoir consulté Béa, Norbert commande : « Deux bruns, s'il vous plaît. » À seize heures, l'avion se pose à Varadero. Béatrice, fébrile, s'empare d'une valise grise, sans prendre le temps d'en vérifier l'étiquette, et la fait placer dans le compartiment du car. Mais la propriétaire d'une valise identique constate, elle, que celle qu'elle croyait sienne porte le nom de Béatrice Bélisle. Le chauffeur s'apprête à arranger les choses, lorsqu'un gros ours mal léché, aux bras et à la poitrine velue, se met à hurler :

— Espèce de tête folle! T'as pas vu que c'était pas ta valise!

— Si j'avais vu, je ne l'aurais pas prise!

Norbert qui était encore dans l'autocar bondit de son siège, prêt à affronter le malotru, oncle de la «victime»... Mais grâce aux jeunes femmes, on fait plutôt la paix, chacune récupérant son bien.

Arrivés à Punta Blanca, les voyageurs vont d'une surprise à l'autre. De jolis petits bungalows fleuris font bonne impression... Mais dans les chambres, tout tombe en ruine! Béatrice s'assoit un peu fort sur le lit (quelques planches de bois) et crac, il s'effondre. Il n'y a pas d'eau chaude, pas de bouchon pour le lavabo; des centaines de bestioles suspectes font du jogging dans la salle de bains, et les oreillers sentent le moisi... Par contre, du balcon, la vue sur la mer est superbe, et un beau sable blond semble les attendre depuis toujours.

— Béatrice, nous changeons de bungalow.

— Non Norbert, c'est partout pareil. L'agent de voyage m'a avertie avant notre départ. Il faut dépasser ces inconvénients et profiter au maximum de la belle nature.

— Tu as vécu des situations semblables au cours de tes voyages précédents?

— Bien pire que cela. Ici, au moins, c'est propre. Lors de mon trekking, dans l'Himalaya, des cochons noirs et crottés entraient comme chez eux dans les maisons. En Inde, les gens se baignent dans un Gange totalement pollué. J'ai même vu un cadavre qui flottait sur les eaux. En Indonésie, Joëlle et moi, nous dormions dans des «losmens», espèce de baraques primitives; il y avait des lézards partout. Au début, je paniquais, mais ensuite, je me suis habituée.

— Tu as raison, profitons du temps que nous avons ensemble. Si on allait sur la plage ?

Le soleil baisse à l'horizon, la plage de sable blanc est remarquable. Les deux amants n'ont jamais rien vu de si beau. Béatrice a faim, mais Norbert tient à aller au bar, où une bouteille de champagne les attend. Le bar, cet endroit privilégié des vacanciers, est une véritable attraction. Deux gros perroquets verts répètent : « Rhum, Rhum... merci ». Lentement, se regardant dans les yeux, Norbert et Béatrice laissent couler le flot pétillant dans leur estomac heureux. Après un repas délicieux dans un restaurant privé, Béa et Norbert s'attardent à la plage, sous le clair de lune.

— Les hommes de ma vie ont toujours été comme la mer. Ils envahissent mon existence, se jetant sur la plage que je suis pour eux, pour ensuite se retirer, laissant dans mes mains des scories de désespoir. Excuse-moi, j'ai trop bu. Tu es là pour m'offrir le peu de temps qu'il nous reste, et je te parle de mon passé. Excuse-moi, prends-moi dans tes bras.

— Viens mon adorée, oublie le passé. Regarde la nuit. Comme elle, je reviendrai. Je te le promets.

— Pour moi, il fera sombre en attendant ton retour. Je sais déjà que l'attente sera longue. Serait-ce pour que je t'apprécie mieux que la vie t'arrache à moi ?

— Le temps passera assez vite, tu verras.

Dans la chambre, le lit a été réparé. Le bouchon du lavabo est en place. Une eau de Javel forte a tué tous les intrus, et Dolorès, la femme de chambre, a même fait des canards avec les serviettes de bain. Dans cette île où l'on manque de tout, il s'agit de demander... La nuit n'est pas longue et l'amour est au rendez-vous.

Au réveil, le taxi réservé la veille attend déjà ses deux passagers. Pour 100 $, ceux-ci pensent avoir conclu un bon marché. La Havane est leur destination; ils y visitent des maisons du xve siècle et le Malecon. À pieds, ils vont à la Havana Libre. Ils veulent entrer au château El Morro, mais il est en réparation. L'après-midi se termine au Musée national: la collection, abondante, comporte quelques pièces de valeur; les abstraits s'inspirent de l'œuvre de Picasso. Une belle cour intérieure abrite des arbres chétifs. Un enfant très bien vêtu y vend de petits cendriers faits main. Norbert l'encourage généreusement.

En soirée, leur chauffeur les conduit au Tropicana. La musique est entraînante, les costumes beaux à ravir, les danseuses bien tournées. La troupe donne un bon spectacle. Mais il faut rentrer, la route est longue. Tout au long du voyage, leur guide, dans un mauvais anglais, se raconte: il est professeur d'éducation physique, mais le régime l'oblige à faire du taxi. Il est ambivalent, tantôt il parle en bien du communisme, « les médecins sont bien qualifiés, ils ont sauvé la vie à ma fille lors d'un accident de motocyclette », tantôt il se plaint du rationnement:

— Nous n'avons droit qu'à un kilo de viande par mois, nous ne mangeons que des fèves noires et du pain rassi. Souvent, nous manquons de savon et d'objets nécessaires. J'ai une grosse faveur à vous demander. Demain, vers dix-sept heures, j'aimerais que vous veniez avec moi dans un magasin pour touristes seulement, afin que je puisse y acheter des biscuits salés et un pot de confiture. C'est pour faire un cadeau à mon fils pensionnaire. Il s'en va en colonie de vacances, et nous aimerions le gâter un peu.

— Bien sûr; moi aussi j'ai quatre enfants et j'aime les gâter.

— Vous n'avez pas accès à ces magasins, Alberto?

— Non, Madame, nos achats se limitent aux coupons de rationnement.

— Et vos bons fruits, où vont-ils ?

— À l'exportation, en totalité !

Au même moment, Alberto donne un coup de volant qui projette Béatrice et Norbert sur la vitre de gauche. Béa voit passer une forme noire. « *Vaca* », crie Alberto. Une grosse vache noire traverse la route à moins de dix pouces de l'auto.

— Ah ! ces fermiers, ils n'ont pas d'argent pour clôturer leurs champs !

— Mais c'est dangereux ! Sur ma ferme, tout doit être clôturé.

— Vous savez, avec ce maudit système, on manque de tout.

— Nous, on gaspille tellement, dit Béa. J'ai apporté des bas de nylon, du maquillage et des jeans. Je vous donnerai ces objets demain.

— Je vous remercie ; on a tellement besoin de ces choses. Je crois qu'il y a cinq ans que ma femme n'a pas eu de bas de nylon. Moi, je me compte chanceux, car mes clients me gâtent beaucoup. Imaginez ceux qui n'ont aucun contact avec les touristes !

— Aimeriez-vous émigrer ?

— Je suis trop vieux, et mon fils veut être médecin ici. Je ne puis partir. Si j'étais célibataire, j'essaierais d'aller au Québec, mais c'est très difficile, à moins d'épouser une Québécoise, et je n'aime pas cette pratique.

Les lumières de Varadero marquent la fin du voyage. Il est trois heures du matin. Alberto offre à ses passagers d'aller, demain, visiter les maisons d'Hemingway et de Dupont.

— À quinze heures, ça irait ?

— Ça te va, Béatrice ?

— Oui, nous serons prêts à quinze heures.

Béatrice et Norbert sont morts de fatigue. Ils dorment jusqu'à dix heures. Ensuite, ils vont dîner à la cafétéria assignée par l'agence de voyage. Cuba a très mauvaise réputation en ce qui a trait à la nourriture. Béatrice ne prend pas de risque, elle ne mange que des fruits. Norbert qualifie son repas de passable. À quinze heures, Alberto est à la conciergerie.

La maison d'Ernest Hemingway, si blanche dans son nid de verdure, est une confortable résidence bourgeoise située au bout d'une longue allée bordée de peupliers. Solitaire, elle garde les écrits de son maître et des auteurs préférés de celui-ci. Béatrice effleure les Balzac, les Proust qui trônent sur une petite bibliothèque près de la porte d'entrée. Une autre bibliothèque, plus imposante, conserve des pages jaunies d'écrivains moins connus. Par terre, une peau de lion réchauffe ces lieux austères. Pour sa part, Norbert est attiré par un vieux télescope, de même que par la machine à écrire d'Hemingway et ses dizaines de fusils. Les murs sont tapissés de cartes géographiques. Dehors, du côté gauche de la maison, on trouve cinq petites épitaphes où sont gravés les noms des chiens du célèbre propriétaire.

On se dirige ensuite vers la somptueuse maison Dupont. En entrant, les planchers de chêne du hall, immense, préfigurent le luxe de la demeure entière. Le guide explique que le fondateur, Irénée Dupont, vivait ici six mois par année avec sa femme, et quinze jours avec sa maîtresse. Il vante ensuite l'architecture de ce petit château. À l'étage, il y a de l'acajou partout, sauf, bien sûr, dans les salles d'eau, toutes en marbre de Carrare. Au sous-sol, se trouve une magnifique cave à vins… Le dîner sera servi dans ce qui était jadis une imposante bibliothèque. Béatrice peut encore y admirer des volumes de Balzac, Kipling, Cervantes…

❧

Jeudi 1er juin, il reste aux amants dix jours de vacances, qui seront surtout consacrés à la paresse sur la plage, entrecoupée de baignades et de longues marches. Ils sont heureux et profitent de chaque moment… Quand Gaston les accueille à Mirabel, au-delà de leur teint bronzé, c'est leur bonheur serein qui le frappe.

— Je n'ai pas besoin de vous demander si vous avez fait bon voyage !

— Ce furent des vacances du tonnerre, mon fils.

— Ton père et moi, nous avons visité pendant quatre jours, et le reste du temps ce fut le *farniente* complet !

— Il n'y a pas beaucoup à visiter à Cuba. Il y a peut-être plus que ce que nous avons vu, mais La Havane est loin de Varadero, et on ne pouvait y aller souvent.

— Et la bouffe ?

— Pas si mal ; je me suis nourrie de fruits et ton père mangeait des crustacés.

— Mes amis qui sont allés là-bas ont trouvé la nourriture infecte.

— Il faut faire comme nous, et aller manger à l'extérieur des cafétérias, là où il faut payer.

Quand le trio arrive chez Norbert, il est une heure du matin. Gaston prépare de la camomille, et accepte l'invitation à dormir. Au petit matin, il guette les faits et gestes de Béa : « Ah, elle est dans son bain ! Nue, elle doit être bien belle. Comme j'aimerais appuyer mes lèvres sur son

82

corps bruni... Je me demande si quelquefois elle pense à moi... Que dirait papa s'il savait que je convoite sa blonde ? »

— Tu rêves, fiston...

— Oui, je me demande si Béatrice voudrait faire un petit tour d'équitation avant déjeuner...

— Demande-lui, tu verras bien.

— Béatrice, ça vous plairait de chevaucher une petite demi-heure avec moi ?

— Ça te dérange Norbert ?

— Non, non ; allez-y, les chevaux ont besoin de bouger.

À l'étable, Gaston est très prévenant. Il aide Béatrice à seller Ivoire, puis à le monter, frôlant ainsi innocemment le siège de Béatrice...

Après une heure, les chevaux ont bien couru et les cavaliers sont heureux. Gaston prend le bras de Béatrice pour l'aider à descendre de sa monture. Il est fébrile et court à la maison pour faire cuire le bacon. Déjà, Norbert a préparé un copieux déjeuner. La conversation est animée. Gaston en sait très long sur l'histoire de Cuba. Il est très cultivé ; avant de faire un bac en psychologie, il a étudié un an en sciences politiques. Gaston est ambitieux, il veut devenir professeur à l'université. Au repas, il s'efforce d'impressionner Béa par l'étendue de son savoir. Béatrice ne parle pas beaucoup, elle se dit : « Comme je ne connaissais pas ce garçon ! » Norbert se demande bien pourquoi son fils étale ses connaissances de la sorte. Gaston, lui, guette s'il fait de l'effet sur Béatrice. Il s'invite à faire le dîner, le temps que Béa et son père désherberont le potager.

L'air est bon, le soleil haut et brillant. La campagne sent bon le foin. Les plants de carottes, de tomates et de radis sont déjà bien hauts. Les merles chantent leur chant roulé : il fera mauvais temps demain. Les chevaux font des courses folles en secouant leur crinière à tout vent.

Au dîner, Gaston est aussi bavard qu'au déjeuner.

— Je ne sanctionne pas le système d'enseignement d'ici. Je le trouve désuet, dépassé.

— C'est pourquoi nous t'avons envoyé dans les collèges privés.

— Ce n'était pas beaucoup mieux. Et vous, Béatrice, étiez-vous à l'aise dans votre polyvalente ?

— Moi, j'étais très libre. Je m'empressais de donner le programme obligatoire pour ensuite tenter d'enrichir mes élèves. Je crois que ce que l'on a à enseigner ne prendrait que cinq à six mois s'il n'y avait pas tant de sujets de distraction. Les élèves sont constamment dérangés : une campagne par-ci, une compétition de sport par-là, une collecte de fonds, une vente de chocolat ou de chandails... Tout cela détourne leur esprit des études. Il y a aussi les livres que les élèves utilisent. Ils sont inadéquats, incomplets, surtout en français. Pourquoi changer de grammaire chaque six ans ? Ce commerce se fait au détriment de l'élève, qui finit par se perdre dans ce dédale de soi-disant nouveautés. Excuse-nous, Norbert, tout cela doit être du chinois pour toi. La pédagogie est loin de tes préoccupations.

— Je m'y perds un peu, surtout dans les nouveautés en grammaire. Nos vieilles grammaires, avec toute une batterie d'exercices, étaient peut-être la meilleure façon de dispenser l'enseignement. Mais moi, j'aimais mieux les pentes de ski que les salles de classe !

— Je le sais, papa ; grand-maman nous disait que tu cachais ton sac d'école dans le hangar et que tu revenais à la maison à l'heure où tu aurais dû rentrer de l'école...

—C'est exact, je détestais l'école. Je me sentais prisonnier. À 16 ans, j'étais déjà instructeur de ski au mont Blanc. Je disais en avoir 19. Comme j'étais costaud, on me croyait, et on ne considérait que mon habileté en ski.

—Tu as commencé à gagner ta vie à 16 ans, papa?

—Oui, et ce n'était pas facile. Il fallait me lever à six heures pour aller prendre mon autobus, et je ne revenais qu'à vingt-deux heures, sans avoir soupé. Au début, je n'étais pas qu'instructeur. J'étais aussi l'homme à tout faire. J'ai même abattu des arbres pour dégager les pistes.

Béatrice laisse bavarder les hommes et, discrètement, elle monte prendre une douche et faire sa valise. Encore une fois, Gaston laisse libre cours à ses fantasmes. Il imagine Béatrice se savonnant les seins; il imagine aussi qu'il lui fait sa toilette, qu'il la frotte partout. Il entend l'eau couler dans la salle de bains. Son cœur bat la chamade; n'en pouvant plus, il s'excuse auprès de son père et monte dans sa chambre qui est voisine de la salle de bains. Béatrice chantonne *Smoke Gets in your Eyes*. Gaston l'écoute. Il trouve cela beau mais ne connaît pas cette vieille chanson. Il lui vient un désir fou, celui de se mettre nu et d'attendre dans le couloir. Mais non, tout cela n'est que fabulation. Norbert est en bas, qui attend Béatrice pour la conduire chez elle.

Resté seul, Gaston pleure comme un gamin. Il se demande pourquoi il est tombé amoureux de la blonde de son père. «Il y a tant de femmes dans le monde, pourquoi mon cœur s'est-il accroché à Béatrice? C'est qu'elle a toutes les qualités, cette femme. Elle est intelligente, cultivée, elle a bon cœur et elle est généreuse. Elle est belle comme le jour, elle est enjouée et sportive, et puis, et puis... Et puis, soupire-t-il, elle est amoureuse de mon père.

Pourquoi est-ce que cela m'arrive à moi ? Je suis sûrement malade. Si mon père apprenait mes désirs secrets, comme il aurait du chagrin. Si Marc savait cela, il rirait de moi. Lui, l'aîné, le gros, le grand, le fort, l'avocat accompli, qui vit sa séparation d'avec Hélène comme on met une lettre à la poste. Que je suis malheureux, je n'y puis rien... Je prépare mes bagages, et je quitte avant que papa n'arrive. Je ne veux pas qu'il me parle de sa Béa. Je lui laisserai un mot : "Papa, je dois rentrer. Merci pour tout. Te verrai dimanche."

Béatrice est très contente de retrouver son chez-soi. Norbert ne reste avec elle qu'une petite demi-heure. Béatrice bavarde longtemps au téléphone avec sa sœur Marthe. Cette dernière lui donne toutes les nouvelles de la famille et parle beaucoup de ses deux filles, Marie, 15 ans, et Francine, 10 ans. L'aînée, qui apprend le violon, est câline et frêle. La cadette sera vétérinaire ; elle ramasse tous les chats de la rue et flatte au passage les chiens que l'on promène. Elle a réussi à faire accepter deux chats perdus à ses parents. Jacques, le père, malgré ses allergies, a adopté les deux mignonnes bêtes. Cette famille est unique. Marthe est une très bonne mère et une épouse idéale. Sa passion : la lecture. Avec Béatrice, elle passe des heures à parler de ses trouvailles : les biographies qu'elle aime, les livres d'histoire qui la fascinent.

Marthe n'a que deux enfants. Elle n'a pas voulu suivre l'exemple de sa mère et s'entourer de trop de marmots. Elle a trouvé difficile le clan familial : pas de place pour la gâterie. Le travail était sans fin, pas de temps pour la lecture, elle qui l'aimait tant. Pas un petit coin pour être seule, elle qui était si solitaire, comme Béatrice. Marthe a un mari exceptionnel; content de voir travailler sa femme à l'exté-rieur, il n'hésite pas à l'aider à la maison, par exemple en préparant les repas. Aimant et dévoué, Jacques privilégie la vie de famille. Béa aime beaucoup sa sœur et son beau-frère. Et quand elle les voit si heureux, elle regrette de ne pas avoir, elle aussi, des enfants à gâter. Elle s'imagine entre la garderie, les courses, le médecin et ses classes.

— Tu es chanceuse d'avoir une petite famille à toi, et un mari aussi attentif que Jacques.

— Je ne me plains pas. La vie me gâte. Et toi, Béa, n'aimerais-tu pas avoir des enfants ?

— J'y pense sérieusement. Encore faudrait-il trouver un bon père !

— Et Norbert ?

— Il est trop âgé. À 57 ans, on a l'âge d'être grand-père...

— Est-ce bien l'homme de ta vie ?

— Pour le moment... Norbert a de grandes qualités, mais je trouve que son niveau intellectuel est un peu limité. Je ne puis échanger comme je le voudrais avec lui. Son domaine, c'est plutôt le sport.

— De toute façon, avec un intello, tu t'ennuierais peut-être. Norbert te garde en forme, tu n'as jamais été aussi resplendissante. C'est ce qu'il te fallait, toi, la grande pas-sionnée des livres. De plus, Norbert adore les chevaux, comme papa. Il a le même caractère, même s'il n'a pas vécu les mêmes expériences.

— On le dit guéri, mais parfois, j'ai peur qu'il ne se remette au jeu. Il y a pourtant laissé sa fortune, sa santé et une partie de lui-même.

— Oui, mais il est dans une association qui l'aide avec sa dépendance.

— C'est une béquille. Pour moi, je vis toujours avec la crainte qu'il ne retombe dans ses vieilles habitudes. Quelquefois, ça devient insupportable. J'en fais des cauchemars.

— Oui, mais personne n'est à l'abri d'une rechute. Tu en sais quelque chose. Toi aussi, tu es vulnérable. Ta maladie te guette toujours, ne l'oublie pas.

— Je sais... je suis sur une corde raide, mais mon lithium m'aide. Norbert, ayant la même maladie, comprend certaines de mes réactions. Il est patient avec moi et il endure tous mes petits caprices. Le plus important, c'est que je sais qu'il m'aime.

CHAPITRE VI

UN MALHEUR

— Allô, Béatrice ?

— Maman, à cette heure !

— Oui ma Béa ; je regrette, mais j'ai une mauvaise nouvelle : ton père est à l'hôpital.

— Un accident ?

— Il a fait une grosse crise du cœur. Un infarctus, si j'ai bien compris. Tu sais, les médecins et leur charabia... Et dans mon énervement, je n'ai rien saisi. Il est hors de danger, mais sa façon de vivre devra être changée. Finies les journées de douze heures, finis les repas déréglés, finie l'aide apportée aux voisins.

— À quelle heure est-ce arrivé ?

— Après son dîner, vers treize heure.

— Il devra être plus raisonnable, moins ambitieux !

— Oui, comme tu dis.

— Restera-t-il longtemps à l'hôpital ? Je veux aller le voir.

— Je n'en sais rien. Je n'ai vu le médecin que cinq minutes. Si tu peux venir lorsqu'il sortira, je t'en serais reconnaissante.

— Certainement, maman, je serai là.

—Je compte sur toi pour avertir tes sœurs, tu veux bien ?

—Oui, je le ferai dès demain, à la première heure.

Béatrice est atterrée. Son papa... Le premier amour de sa vie, à l'hôpital. Est-il en danger ? La mort qui hante toujours Béa. À 78 ans, Victor n'a plus l'âge des folies mais de la modération. Depuis la mort de Marcel, le clan est resté intact ; aucune maladie grave, aucun départ. Dès huit heures, Béatrice est au téléphone avec Norbert.

—Je devrai partir ce matin pour l'hôpital, dès que j'aurai prévenu mes sœurs.

—Tu es sûre que tu n'as pas besoin de moi ?

—Non, merci ; maman sera plus à l'aise si nous sommes seules. Je la conduirai à l'hôpital chaque jour.

—Prends bien soin d'elle, embrasse-la pour moi.

—Merci Norbert, et à bientôt.

—Dimanche, nous serons tous là, je ferai cuire un gigot d'agneau pour toi.

—Au revoir, mon chéri.

Norbert est-il en sursis dans le cœur de Béa ? Depuis l'annonce de ce travail au Pérou, Béatrice est moins enthousiaste. Norbert redouble d'attention. Il ne sait quoi faire pour lui plaire. Il a même averti ses enfants d'être plus prévoyants avec son amie. Tous ont compris l'inquiétude que leur père avait de perdre sa Béa.

Mardi 20 juin, dix heures trente ; c'est une jeune femme inquiète qui se présente à l'hôpital Laflèche de Grand-Mère. «Quel bonheur de garer l'auto sans peine, pense Béatrice. On n'a pas à chercher une place de station-nement comme à Montréal. Tout est facile ici.» Béatrice s'attarde à de vaines pensées évitant ainsi de faire face à la réalité.

— Monsieur Victor Bélisle, s'il vous plaît.

— Chambre 206, répond une réceptionniste affable.

Aux soins intensifs, Victor Bélisle est tout enrubanné de tubes et de sparadraps. Il dort. Sa peau est blanche comme de l'ouate. Son nez est pincé. Il n'est couvert que d'un drap. Béatrice n'a pas vu sa mère près de la fenêtre. Elle retient ses larmes, et pose sa main sur celle de son père pour vérifier si son âme est encore là. Victoire s'approche de sa fille et la presse fortement sur son cœur.

— Ça va aller.

— C'est vrai maman ?

— Oui, le docteur est venu il y a dix minutes. Je te parlerai tout à l'heure. En attendant, je dois sortir d'ici, car nous n'avons droit qu'à un visiteur à la fois.

— D'accord.

Béa est seule avec son père. Elle regarde son visage éteint. « Tu m'as fait peur, petit père. Tu en fais toujours trop. Tu ne te reposes jamais. Tu veux plaire à tout le monde, sans jamais penser à toi. Tu devrais vendre quelques chevaux et apprendre à te reposer un peu. Tu n'as plus 20 ans, tu sais. Je veux te garder le plus longtemps possible, alors, il faut que tu fasses un effort. Tu as fait peur à maman. Elle est bouleversée par les événements. Elle ne pourrait pas vivre sans toi. Il faut que tu reviennes en forme, il y a trop de personnes qui t'aiment. Tu ne peux pas nous quitter, c'est trop tôt. Prends soin de toi, je t'aime. »

Béatrice quitte la chambre. Une lourdeur pèse sur ses épaules, et ses yeux s'emplissent de larmes. Le trop-plein de chagrin déborde pour un bref moment. Béatrice se ressaisit et rejoint sa mère.

Victor se sent envahi par une grande faiblesse ; il a eu une très forte crise et peut à peine parler. Toute sa vie, il a eu une bonne santé ; il ne passait jamais d'examen médical et ne pouvait prévoir cette attaque.

— Tu viens, ma Béa ?

— Oui maman.

Madame Bélisle passe cinq minutes avec son mari, après quoi une infirmière l'invite à quitter. Victoire a le cœur gros. Sur la route du retour, mère et fille expriment leur inquiétude.

— Passera-t-il à travers, ma Béa ?

— Oui maman, mais sa convalescence sera bien longue.

— Il est fort, mais son infarctus a été foudroyant.

Arrivées à la ferme, elles n'arrêtent de répondre au téléphone. Les enfants, les voisins, les amis veulent avoir des nouvelles. C'est toujours la même réponse : « Il faut attendre quarante-huit heures. » L'attaque de Victor tient toute la famille sur le qui-vive. Marthe veut descendre avec Odette. Leur mère préfère qu'elles attendent un peu…

Quatre jours se passent ; Victor sort de sa léthargie et commence à parler, à manger. Béatrice est confiante. Elle téléphone à Norbert.

— Je ne serai pas là dimanche, mon chéri.

— Ne t'en fais pas, reste avec tes parents. Veux-tu que je vienne ?

— Non… non. Tous mes frères et sœurs seront là. Je m'occuperai d'eux, je préparerai les repas. Je n'aurai pas le temps de te voir.

— C'est comme tu veux, Béa, mais si tu changes d'idée, fais-moi signe.

La fin de semaine fut très fatigante pour le malade. Il est sorti des soins intensifs, mais il se sent encore très faible.

Ce samedi matin, Béatrice reste à la ferme. Elle réfléchit sur la finitude de la vie. Elle sait qu'elle porte en elle la mort, comme son père d'ailleurs. Elle prépare les repas pour Marthe, Odette, Anne et Laure. Les autres viendront demain. C'est Lucie, ce Petit Point d'amour, qui recevra Marie-Noëlle et Rose. Les trois garçons, Jean, Richard et Augustin, iront chez Cécile, la femme au grand cœur. Ce partage est nécessaire afin que tous soient à l'aise pour dormir. Les conversations tournent toujours autour de leur père. Ils sont tous heureux de constater qu'il va mieux. Laure a une grande nouvelle : elle est enceinte. On se réjouit, ce sera son premier bébé. Augustin vient de vendre sa ferme, il ira vivre à Grand-Mère. Toute la famille accueille ces bonnes nouvelles. On parle encore du papa, chacun y va de ses conseils. Dimanche soir, tout le monde retrouvera son foyer, sauf Béatrice, qui passera la semaine avec sa mère.

Monsieur Bélisle a son congé. Il est encore fragile, mais sa grande famille lui donne de l'énergie pour continuer la route. Marthe et Rose viennent remplacer Béa.

Arrivée à l'Île des Sœurs, Béatrice court dans les bras de Norbert.

— Mon chéri.

— Ma chérie. Comment est ton père ?

— Faible, mais en vie !

Norbert, lui, a souffert de sa solitude. Béa lui a manqué. Les enfants ont remis le repas du dimanche à la semaine prochaine. Norbert était vraiment seul. Béa ne lui téléphonait pas souvent. Il se questionnait sur leur relation. Béa, de son côté, veut prendre du recul vis-à-vis de cette liaison qui lui semble bien pénible depuis l'annonce du départ de Norbert pour le Pérou. Au fond d'elle-même, elle se dit : « M'aime-t-il assez ? Pourquoi cette évasion en Amérique du Sud ? Ira-t-il là trois mois par année ? Que deviendrai-je sans lui ? Je crois que je l'aime plus qu'il ne m'aime. Devrais-je continuer à dîner avec ses enfants tous les quinze jours ? Cela crée des liens. Je les apprécie beaucoup, surtout Gaston ; il est si doux, si savant et peu prétentieux. J'aime cet être de bonté, de culture. J'aime causer avec lui. J'apprécie aussi le grand Marc, il est si réservé. Avec moi, il est timide, on dirait qu'il me fuit. Au fond, je sais qu'il m'apprécie. Au début de notre relation, Marie-Josée était réticente. Elle avait peur que j'accapare trop son papa d'amour, mais nous nous sommes expliquées. Ça va maintenant ; surtout depuis qu'elle a un amoureux, elle nous laisse la paix. Natalie est un gros bébé, elle ne veut qu'une chose de moi, de la tendresse. »

Béatrice aura l'occasion de lui prodiguer de l'affection, car elle recevra toute la famille André dès demain… Ce matin, le soleil brille intensément. Le ciel a largué le cafard des derniers jours. Toute la famille se rend à l'Île des Sœurs. Gaston a tenu à prendre sa voiture, il veut voyager seul ; il ne tient pas à ce que ses sœurs voient trop la joie sur son visage. Il veut arriver en retard. C'est une Béatrice toute radieuse qui les accueille. Après les salutations d'usage, Norbert rassure Béa : « Gaston s'en vient. »

Sans se presser, Gaston remue toutes ses émotions. Il essaie de garder l'emprise de ses sens. Mais il sent son âme assoiffée d'amour, et c'est ainsi qu'il arrive chez l'amie de son père. Il la trouve divine. À l'accolade qu'elle lui prodigue, il sent sa tête qui tourne et il pense : « Elle me rendra fou, j'en suis sûr ! Ce qu'elle est belle ! Quelle femme ! »

— Gaston, nous commencions la visite du propriétaire. Veux-tu te joindre à nous ?

— Vous quatre, salut !

Béa pousse la porte à glissière et commence la visite.

—Voici le fleuve, mon ami. Je lui raconte mes joies, mes peines. Ici, nous sommes comme dans une tour fleurie. Le quatorzième étage a ses avantages. Nous sommes préservés de tout bruit, et nous avons une vue enchanteresse sur le boisé et sur le Saint-Laurent.

—Béa et moi, nous allons souvent marcher dans ce bois. L'hiver, nous y faisons du ski de fond. Vous voyez, en bas, ce sont des dizaines de pommiers; au printemps, ils sont tout en fleurs et, sous le soleil couchant, on les croirait sortis d'une estampe japonaise.

—Aimeriez-vous voir la piscine?

—Oh, oui! Béa, les jeunes ont tous apporté leur maillot.

Ils sont tous muets d'admiration devant la piscine aux dimensions olympiques.

—Nous ferons une petite course vers quinze heures, Natalie.

—Mais tu gagnes toujours, Gaston.

—Tu as peut-être fait du progrès, on verra!

Norbert agit en hôte, et sert à tous un verre de kir, pendant que Béatrice, qui s'affaire à la cuisine, demande à Gaston s'il veut bien l'aider au service. Il est un peu abasourdi. Il veut blinder son cœur. Ses mains tremblent un peu, mais il se reprend, et c'est avec un large sourire qu'il accepte...

En fin de repas, la conversation prend tout à coup un tour plus sérieux, alors que Marc s'avoue préoccupé par une cause de viol qu'il aura à plaider dans la semaine: un père a violé deux de ses filles et son fils de 8 ans. Ce qui a pour effet de faire revivre à Béatrice un passé douloureux. Elle revoit, une fois de plus, son violeur, l'oncle Aimé, qu'elle avait hébergé pour une nuit. Elle le voit, entrant dans sa chambre, nu et à moitié saoul. Elle revit le moment où, en un rien de temps, il lui couvre la bouche de sa grosse main poilue pour l'empêcher de crier, et se jette sur elle. Elle se remémore sa lutte où elle lui tire les cheveux, le griffe, lui mord le bras, puis le moment où, en bas du lit, l'oncle violeur la souille comme un taureau… Force lui est, à nouveau, de prendre conscience du mal qu'on lui a fait, à quel point, au mot de *viol*, elle est prise de panique. Ses mains se crispent, son pied s'agite nerveusement, sa tête est vide.

— Tu es dans la lune, ma chérie.

— Oui… je pense aux violeurs. Ils mériteraient la prison à vie.

— C'est bien mon avis, Béatrice ; et demain, je plaiderai haut et fort pour que le juge m'entende. Les trois enfants que je défends sont des mineurs.

L'échange qui s'ensuit sur le sujet n'est pas pour réconforter Béa, qui tente de faire diversion :

— Le sous-bois sent bon à ce temps-ci de l'année. Si on allait s'y promener ?

Tous acquiescent aux désirs de Béatrice. Les graves propos prennent fin, et la balade s'annonce pleine de gaieté. Gaston, silencieux, ramasse des fleurs des champs, marguerites, lys tigrés, iris d'eau, et en fait un beau gros bouquet. Béatrice le regarde, intriguée, quand, discrètement, il lui remet son offrande, tout en prononçant ces simples mots : « Ma dame », mais avec une intonation pour le moins énigmatique...

Puis, les jeunes filles décident d'aller profiter de la piscine, mais les hommes préfèrent remonter chez Béa. Marc promène un regard fureteur dans l'appartement. Il fait le tour des Matte, des Content et de la belle huile de Léo Ayotte. Il s'attarde dans la contemplation d'un abstrait tout jaune de Richard Lacroix. À la porte d'entrée, est suspendu un superbe batik indonésien. «Comme elle a voyagé!», se dit-il, avec une pointe d'envie.

De son côté, Gaston consulte une grande carte du monde, posée sur le mur de la salle de travail. Béatrice y a tracé d'un gros trait rouge tous les endroits qu'elle a visités. Le Népal, l'Indonésie, le Liban et la Syrie, le Maroc et la Tunisie, à peu près toute l'Europe, le Mexique, la Martinique, etc. Gaston se prend à rêver d'amener Béatrice en Grèce, ce pays qui l'attire tant. Il commencerait sa visite par le Péloponnèse…

Béa entre et aperçoit Gaston dans sa salle de travail.

— Excuse-moi, Béatrice, j'ai voyagé à tes dépens.

— Tu as vu mes barbouillages?

— Oui, et je t'envie.

L'heure du départ arrivant, Gaston offre à Béatrice de rester pour l'aider à remettre un peu d'ordre, mais elle refuse catégoriquement… Il aurait tant aimé respirer encore le parfum de son hôtesse. Il rentre donc chez lui, assez bouleversé par ce dimanche rempli d'émotions diverses.

Marc a préféré retourner à Mirabel avec Norbert, notamment pour lui parler de son voyage prochain au Pérou. Il lui confie sa crainte des accidents d'avion:

— … dans ces pays, l'entretien des appareils n'est pas toujours à point. Prends garde, papa, choisis bien ta compagnie.

— Je prendrai de grosses assurances.

— Mais cela ne te ramènera pas à la vie s'il y a un accident!

— J'espère que tes inquiétudes ne t'empêcheront pas de me rendre visite et, surtout, de convaincre Béa de venir avec toi!

— Je ferai tout mon possible.

— La trouves-tu changée depuis que je lui ai annoncé mon départ pour le Pérou ?

— Je ne puis te dire, je ne la vois pas assez souvent.

— Elle me dit que je pourrais faire du bénévolat ici…

— Peut-être, mais je t'approuve dans cette initiative.

— Oncle Georges m'encourage beaucoup.

— Il a raison, tu ne regretteras rien.

Marc quitte son père, mais il est soucieux. Il n'a pas osé lui parler du Sentier lumineux. Quand on parle du Pérou, on ne peut que penser à ce terrible regroupement de fanatiques qui tuent pour une montre qui brille, pour un fusil qui pointe, pour un oui ou pour un non. On ne compte plus le nombre de paysans disparus en voulant protéger leurs biens. « S'il fallait que papa disparaisse, nous serions vraiment orphelins. » Il se frotte les yeux, il s'endort. Mais, comme attirée par un aimant, son auto prend la route de l'Île des Sœurs. Il fait le tour du pâté de maisons en se demandant : « Dort-elle ? » Marc se rend chez Ben's pour manger un *smoked meat*. Seul à sa table, il n'est pas sans se comparer à ces couples qui l'entourent sans même sembler le voir. « Je suis fou. Il y a tant de belles filles partout ! Pourquoi m'amouracher de la fiancée de mon père ? Je suis sûrement fou, et impardonnable. Je convoite la seule qui m'est inaccessible… J'aimerais bien dormir avec elle. Elle doit être si douce. Elle doit faire l'amour comme une déesse. Il n'y a qu'une femme que je désire, et c'est *elle*. »

Le garçon de table tire Marc de sa rêverie, en lui remettant l'addition… Il revient à la conversation qu'il a eue avec son père. Ce dernier, malgré ses larges épaules et sa haute stature, est un peu naïf. Il semble croire que le Pérou est un paradis terrestre. Il est vrai que Norbert n'a jamais voyagé. Avec cinq enfants à faire instruire... Quand il a rencontré Béa, il a été pris par le goût de l'aventure. Sa décision ne cache-t-elle pas une petite rivalité?

Il se fait tard. Marc plaide demain matin, mais il a peine à trouver le sommeil. Son désir pour Béatrice se mêle à la préparation de son procès. À sept heures, il part réviser ses derniers dossiers au Palais de justice.

꽃

C'est la mi-juin, les jours se réchauffent. Béatrice se rend à Saint-Tite. Son père se remet très lentement de sa crise cardiaque. Son visage est resté pâle; il trouve très difficile d'être inactif. Il passe de longs moments près de la fenêtre à observer ses quinze chevaux, ou alors, il trompe le temps en s'absorbant dans les albums de famille. «Qui est avec toi, Victoire? Où as-tu pris cela? Est-ce Marcel, ici?» Ainsi s'écoulent les heures. Les amis ne viennent pas beaucoup visiter Victor. Ils ont peur de le fatiguer.

Béatrice trouve son père alangui. Inquiète, elle questionne sa mère. «Pourra-t-il retravailler? Est-ce possible qu'il s'en remette totalement?» Aujourd'hui, il a passé plus d'une demi-heure à guetter deux colibris qui venaient se bagarrer au-dessous du réservoir d'eau. Jean a accroché ce récipient à la galerie d'en avant afin que son père puisse admirer les minuscules oiseaux.

Béatrice a apporté son appareil photo. Elle veut initier son père à la photographie. Pour sa première séance, il capte cinq beaux tableaux. Victor ne pensait pas qu'on pouvait passer des jours entiers sans travailler fort. Pendant les premiers jours, Victoire accompagne son mari pour ces séances de photographie. Ensuite, elle le laisse vagabonder, appareil en main. Béatrice prépare son père à son départ.

— Papa, je dois partir vendredi matin. Norbert et moi, nous allons à la pêche avec Lucie et Gaétan.

— Vous serez prudents, les chemins sont minés à plusieurs endroits.

— Gaétan connaît la route par cœur !

— Oui, mais les obstacles changent de jour en jour, il a beaucoup plu ces derniers temps.

Béatrice profitera des deux derniers jours pour échanger avec son père. Le dernier soir, elle va même jusqu'à proposer une petite partie de Yum, « une seule, ça ne vous fatiguera pas ».

Le départ de Saint-Tite se fait le 30 juin. Le camion à cabine allongée est chargé à pleine capacité. Se trouvent dans ce véhicule, la nourriture, une hache, car Gaétan est prévoyant, une pelle, une scie mécanique au cas où la route serait obstruée par des arbres, de l'essence pour les bateaux et le véhicule tout terrain, le naphta. Les voyageurs prennent la route de La Tuque. Béa et Norbert voient pour la première fois la traverse de la Mattawin. Pour passer le Saint-Maurice, ils embarquent sur un chaland, vieux de cinquante ans, qui sert surtout à transporter des marchandises pour les Attikameks. De l'autre côté de la rivière, après avoir traversé une forêt de cyprès, on découvre le premier village indien, Manouane, où, curieusement, chaque petite maison est flanquée d'une tente. C'est que, très souvent, les Amérindiens délaissent les demeures que leur a bâties le gouvernement, préférant leur abri traditionnel, en peau d'orignal. Indépendants, ils veulent se loger et se nourrir à leur façon.

Béatrice se sent bien au lac du Vieux Brochet. Elle presse la main de Norbert et lui fait un large sourire. Ensemble, ils regardent les enfants pleins de santé et de belle humeur. Lucie enlace la taille de son mari et, en allant vers le camion, lui colle un gros baiser.

Après une centaine de kilomètres, les joyeux vacanciers arrivent au lac Innommé. Ce lac est si beau et si grandiose qu'on n'a pu lui trouver de nom. Le camp est situé dans une clairière. Un sable blanc tapisse une plage idyllique. Des familles de cyprès brun roux tendent les bras vers le firmament. À la fin du jour, leurs silhouettes diaphanes s'allongent jusqu'à la petite île que l'on appelle Beauté.

L'habitation en bois rond, de couleur miel, est accueillante. Les rondins adossés à ses flancs iront brûler dans le petit foyer extérieur. Gaétan a fabriqué cet âtre pour y faire cuire les fèves au lard, la galette de sarrasin et les fruits de la pêche.

À l'intérieur, ça sent bon le bois. Les trois chambres sont divisées par des tentures rouge et noir, tissées à la main. On reconnaît là l'œuvre de Lucie. Un gros réfrigérateur au gaz propane et une cuisinière sont campés près de la fenêtre. Des rideaux de lin beige pâle enjolivent les lieux. La table et les chaises ont été fabriquées par le beau-frère de Béatrice. Un arsenal de six carabines invite à la chasse. Un cornet pour « caller » l'orignal pend sous les fusils.

Gaétan prend Béatrice par le bras: « Quand je suis monté la semaine dernière, regarde ce que je me suis procuré chez les Indiens. Ici, c'est du foie de chevreuil, là, c'est de la viande d'orignal et, au fond, c'est du steak de castor pour ce soir. » Béa n'aime pas le castor, qu'elle trouve trop gras. Norbert le sait et, prévoyant, il dit:

— Pour toi, je vais aller pêcher une omble de fontaine.

— D'accord chéri.

Le bagage descendu, les deux hommes sautent dans la chaloupe et se dirigent vers le lac Gervais. Huit prises honoreront les deux pêcheurs. Gaétan connaît bien les endroits où foisonne le poisson.

Le lendemain matin, vers six heures, Norbert veut sortir dehors, mais il se heurte à une grosse boule de poil brun. Un ours! Il réveille Béa et, ensemble, ils regardent le gros plantigrade qui va se poster au pied du bouleau. «Regarde, Norbert, ses trois petits sont perchés dans l'arbre.» En effet, trois oursons sont blottis ensemble et crient comme des bébés. La mère surveille et, à son signal, ils descendent par terre. La famille s'enfuit dans le bois.

— On n'a pas voulu vous réveiller, Lucie, mais il y avait trois oursons et leur mère.

— On a l'habitude de ces familles, mais il est rare de voir trois petits.

Gaétan, les entendant parler, se lève et vient aux nouvelles.

— Vous avez vu l'ours, je suppose?

— C'est Norbert qui a aperçu la mère, et moi, j'ai vu les trois petits. Ils ne sont pas peureux.

— Ils ne sont pas agressifs si on ne les surprend pas, dit Norbert.

Tout en préparant la galette de sarrasin, on parle d'ours. Gaétan affirme:

— Apparemment, leur viande est très bonne. Les Indiens, qui en mangent, disent qu'il faut la faire bouillir trois fois, avant de la rôtir. Mise en conserve, elle goûte l'orignal.

— Papa y a déjà goûté. Il prétend que c'est très gras. Encore plus gras que le castor.

— C'est vrai, Béa; il avait voulu en rapporter à la maison, mais maman n'en a pas voulu!

À cette heure, le soleil court dans le ciel. Les arbres et la terre sentent bon. Les hommes fendent du bois de chauffage et les deux sœurs, en maillot de bain, se font bronzer. Le souffle de juin fait naître de grandes appréhensions chez Béa, et elle en fait part à Lucie.

— Bientôt, Norbert partira pour le Pérou...

— Voyons, Béatrice, ne te fais pas trop de soucis ; dans trois mois, vous retrouverez vos jours heureux.

Gaétan amène ses invités à la pêche. Il a ses « spots ». Après une heure, chacun a pris son quota. De retour au camp, Gaétan et Norbert préparent les poissons. Quatre belles ombles, que l'on appelle aussi truites saumonées, sont mises à cuire au poêlon.

Le soleil est rosé. Des stries égratignent le ciel ; elles s'allongent, s'étirent par courant, tantôt mauves, tantôt roses. Malgré toutes ces beautés, Béatrice ressent un spleen profond. Debout, elle se retient à la rampe du quai. Ses mains moites se resserrent pour éviter la chute. Déjà, en elle, elle sent que Norbert la quitte. Elle regarde tristement le soleil qui descend vers les vaguelettes du lac : même lui me délaisse, se dit-elle, alors qu'un embrun léger lui voile l'immensité des lieux. Une main, tout à coup, lui caresse le dos. Surprise, Béatrice tâche de se ressaisir. Mais Norbert, qui a perçu sa peine, lui demande :

— Tu pleures, mon lapin ?

En essuyant une larme au coin de l'œil, elle répond :

— Non. Je suis émue par toutes les beautés que j'ai vues depuis quatre jours.

— Tu as vu des centaines de couchers de soleil dans ta vie... Depuis un certain temps, tu n'es plus la même. Dis-moi ce qui se passe Béa...

Il la contemple avec tendresse en attendant sa réponse. Béatrice demeure silencieuse quelques secondes pour apprivoiser sa tristesse. Elle ne sait par où commencer.

— Je suis dans un tel état à cause de ton départ pour le Pérou. Et j'ai peur, surtout, du Sentier lumineux. Ils enlèvent des gens sans raison apparente. Je commence à peine à te faire une place dans ma vie et tu me quittes.

— Mais c'est pour trois mois seulement. Ne t'inquiète pas, oncle Georges me surveillera de près. Je t'écrirai, je te téléphonerai, si tu veux. De plus, le Sentier lumineux ne veut pas d'un vieux d'une cinquantaine d'années. Je croyais que nous en avions parlé. Si tu veux, je resterai.

— Non, tu dois y aller. Il y a longtemps que tu prépares ce voyage. Ne manque pas cette occasion. Tu n'es pas parti et, déjà, je m'ennuie. J'essaie de profiter de chaque journée qui passe, mais l'échéance de ton départ me tourmente l'esprit.

— D'ici là, profitons de la nuit qui nous reste pour nous aimer. Demain, nous devons plier bagage et partir de ces lieux trop beaux. Viens faire un tour de chaloupe.

Norbert prend les rames. Dans un mouvement lent et circulaire, le couple glisse sur le lac. Le bruissement de l'eau, le rythme langoureux de l'embarcation calment Béatrice. Norbert pose ses yeux sur Béatrice qui lui décroche un sourire. Un vent léger invite Norbert à l'amour. Il accoste sur l'île Beauté et là, dans un décor sauvage, il la prend comme seul un homme des bois sait le faire. Ce soir-là, à plus de trois cents kilomètres de Montréal, sur une île au milieu du lac Innommé, la lune regarde un couple s'aimer.

En cette matinée de départ, le ciel est clément. Gaétan baisse la vitre du camion. Tout à coup, il entend une succession de craquements : « Chut ! un orignal. » Devant eux, sort du bois un gros animal, haut sur pattes, couleur caramel, surmonté d'un panache dentelé, qui renifle, hésite et repart en courant vers le lac ; un beau buck, d'au moins trois ou quatre ans. « Dommage qu'on n'ait pas le droit de le chasser, hein Gaétan ? » Norbert n'a pourtant pas l'habitude de la chasse… Béatrice et Lucie ont vu de nombreux orignaux dans leur enfance, mais elles sont quand même très impressionnées. Béatrice regarde Norbert, assis à l'avant du camion ; elle est sûre que son cœur bat au même rythme que le sien. Personne n'ose parler ; chacun revoit la belle bête aux mouvements majestueux, l'énorme élan d'Amérique, parti se désaltérer.

En fin d'après-midi, on revient à Saint-Tite. Norbert veut regagner sa demeure, mais Béatrice le convainc de rester pour la nuit. Elle veut étirer chaque moment, tenter d'en faire une éternité.

Le lendemain, il est à peine rentré chez lui que le téléphone sonne…

— Norbert ?

— Oui, oncle Georges.

— Peux-tu être ici dans trois jours ?

— Oui, mon oncle. Je serai avec vous samedi.

Le téléphone est bref. Les deux hommes se verront à l'aéroport Jorge-Chavez. Norbert est un peu embêté de devoir partir plus tôt que prévu. Il pense à Béatrice et ne sait comment lui apprendre la nouvelle. Il a une idée…

— Béa, j'ai trop le goût de te voir. Pourquoi n'irions-nous pas manger ce soir chez Edouardo, rue Laurier ? Et apporte ta robe de nuit, je t'enlève après le repas.

Le propriétaire du restaurant connaît bien Norbert, il lui serre la main et fait la bise à Béatrice. « La même table ? » Oui, de faire Norbert. De *sa* table, située près d'une fenêtre, on peut voir circuler les gens dans la rue : l'un promène son chien, l'autre va au pas de course. Le repas est vite passé ; Norbert parle beaucoup de ses enfants. Il s'inquiète pour Gaston.

— Il ne s'entend pas très bien avec Marc. Ils sont tellement différents. Marc est un capitaliste, et Gaston, un intellectuel, indépendant de surcroît. On se demande pourquoi il participe aux dîners de famille si assidûment. Peut-être parce qu'il était très attaché à sa mère et à Hugo. Depuis leur triste mort, il est devenu taciturne.

Son travail de psychologue a l'air de le fatiguer. Gaston est le deuxième de la famille. À l'école, il était premier de classe, de même qu'au collège. Il y avait plusieurs professions qui l'intéressaient et, finalement, il a choisi le métier de psychologue. Gaston est un homme qui travaille beaucoup. Aujourd'hui, par exemple, il est arrivé à l'université à huit heures et il en est ressorti à vingt et une heures. Comme bien des chercheurs, il est solitaire. Certaines personnes le trouvent même un peu étrange. La lecture est son dada. S'il ne lit pas deux à trois heures par jour, il est malheureux. Cette soif de la lecture est ce qu'il appelle en rigolant : « Sa petite Prozac ». Il a une autre passion, la musique. Maintenant qu'il gagne sa vie, il a de l'argent pour fréquenter les salles de concert. Il aime aussi le cinéma ; il y trouve une soupape à tous ses tracas. Enfin, il est trop sensible, un rien le blesse. Souvent, son frère Marc, qui est un peu blagueur, le met dans tous ses états.

— Il ne faut pas t'inquiéter pour eux. Ce sont deux grands garçons capables de s'arranger avec leurs problèmes. Dis-moi ce qui t'inquiète vraiment...

Après un moment d'hésitation, il avoue :

— J'ai peur que, dans les trois mois de mon absence, tu m'oublies. Tu sais, une belle femme comme toi, ça se vole facilement.

— Doutes-tu de ma fidélité ?

— Non, mais si j'étais célibataire et que ton amoureux était au Pérou, je te ferais les yeux doux.

— Je passerai l'été chez mes parents et les hommes de Saint-Tite sont tous engagés. Je ne suis pas chanceuse... Béatrice se met à rire, mais Norbert ne sourit pas.

— Il y a aussi les veufs et les infidèles...

Béatrice n'arrive pas à dérider Norbert complètement.

— Il y a autre chose qui te préoccupe, tu as l'air soucieux.

— Ma Béa, oncle Georges m'a téléphoné ce matin.

— Oh, non... quand pars-tu ?

— Dans trois jours.

Parce qu'ils sont au restaurant, Béatrice s'empêche de crier, mais deux grosses larmes roulent sur ses joues.

— Norbert, je vais m'ennuyer affreusement.

— Moi aussi, mon amour.

Béatrice s'accoude sur la table vernie, contemple la lune qui tape au carreau et pense douloureusement : « Que ferais-je sans lui ? »

Arrivée chez Norbert, Béatrice manifeste le désir de rester à l'ombre des saules pleureurs. À Mirabel, l'air est très pur. Les champs sont à rêver de pluie, ça sent le trèfle. Béatrice s'assoit sur le bord du fossé, allonge les jambes. Norbert la presse sur son épaule et ils écoutent l'insondable silence de la campagne. Même la lune est triste et pâle. Béatrice navigue dans un autre monde et apprécie ce silence.

— Norbert, il me semble que je ne comprends rien aux hommes. Sont-ils faits pour me rendre malheureuse ?

Elle fait un geste pour se lever. Norbert se hâte d'attraper son bras. Ils marchent dans le champ de foin, dans un silence absolu.

Rentré dans la maison, Norbert cause encore de son fils Gaston.

— Il me semble bien nerveux depuis deux mois. Peut-être qu'il lit trop ? Il a tendance à dormir trop tard. Trouves-tu normal qu'il n'ait pas de petite amie ? À 27 ans, j'avais déjà un bébé. Manque-t-il d'argent ? Si c'était le cas, je lui donnerais un peu des assurances d'Éliette. Il a une vieille Volkswagen. Il a l'air un peu miteux a côté de son frère Marc.

Béatrice ne dit mot, elle pense au Pérou. La nuit est longue. Elle voudrait réveiller Norbert et s'excuser de la brièveté de son «Bonne nuit». Au petit matin, son cœur lourd, noyé de larmes, lui fait fuir la maison. Elle s'installe à l'ombre des bouleaux, et essaie de lire, mais il lui est impossible de se concentrer. Elle recommence la même ligne trois fois. Des kyrielles d'idées sombres l'assaillent. Les mains posées sur son livre, elle laisse son regard se perdre par-delà la maison... Norbert, qui la rejoint, s'émerveille en silence devant son corps si souple, son visage si joli dans le soleil du matin. Debout, les mains dans les poches, il passe ainsi un long moment ; un peu intimidée, Béa lui demande :

— Que fais-tu ?

— Je fixe ton image dans mon cœur pour l'apporter avec moi au Pérou.

À ce mot de Pérou, Béatrice se fige. Tout à coup, elle aurait envie de lui parler : de son enfance, de sa famille, de ses rêves de jeune fille, de son premier amour, de son amie Joëlle qui l'a trahie, de ses amants passés, de tout, quoi... mais sa gorge se serre. Pas un filet de voix ne sort. Norbert s'assoit près d'elle et laisse les oiseaux donner leur concert.

CHAPITRE VII

AU PÉROU

C'EST VENDREDI, la famille André et Béatrice vont reconduire Norbert à l'aéroport. Ce dernier jette un long regard sur sa maison et ses bâtiments, comme si c'était la dernière fois qu'il les voyait. Assis dans la voiture de Béatrice, il admire ses enfants qui montent dans la Volvo de Marc. Il est fier de ses quatre grands. Il prend la main de Béatrice et y dépose un gros baiser. Celle-ci reste distante… La route, à peine dix kilomètres, paraît longue. Il y a un malaise dans l'air. Béatrice pense : « Pourquoi aller faire du bénévolat au Pérou ? Il pourrait en faire ici. » Norbert réfléchit à ce qui l'attend là-bas. Les voitures une fois stationnées, les jeunes s'emparent des valises de leur père et tous se dirigent vers le comptoir des départs.

Au café, on n'est pas bavard. On échange des propos anodins. Pour alléger l'atmosphère, Marc parle du Machu Picchu. Puis, Gaston pose l'évidente question :

— Pourquoi veux-tu faire du bénévolat au Pérou ? Qu'est-ce qui t'attire là-bas ? Il y a tant à faire ici.

— L'extrême pauvreté qui y règne m'incite à aller là-bas. Je sais qu'il y a des gens qui souffrent au Québec, mais ce n'est pas comparable à ce que l'on peut trouver là-bas. Il y a aussi l'oncle Georges qui me réclame. Il a besoin d'un homme à tout faire.

Béatrice écoute, silencieuse.

Après le départ de Norbert, Béatrice demeure plusieurs nuits sans dormir, aveugle même à la beauté du fleuve, le front enfiévré, les mains crispées, tout son corps tendu. Au matin, elle place sur le phono un disque de Vivaldi. Norbert aime tant les *Quattro stagioni*. Ses larmes affluent, silencieuses, son corps a froid. Elle s'enroule dans une grande couverture de laine, et s'endort, un peu apaisée.

Au bout de la quatrième journée, le téléphone sonne enfin.

— C'est moi, mon lapin!

— Tu me manques, chéri.

— J'ai commencé à t'écrire.

— Moi aussi, j'ai une demi-lettre qui patiente sur le bureau. Durant ces quatre jours, j'ai été très occupée. Marie-Josée et Gaston m'ont invitée au musée. C'était une rétrospective des œuvres de Riopelle. Quelle magie de couleurs! Je suis même arrivée à voir des hiboux à travers ses forêts! Dimanche, ce fut le traditionnel dîner et Gaston, toujours aussi dévoué, t'a remplacé aux chaudrons. Marc avait apporté des fleurs. Natalie l'a aidé à la vaisselle. Marie-Josée a offert le vin, et moi, j'ai fait des crêpes Suzette.

— Je vois que vous avez bien fêté mon départ.

— Pas exactement ton départ, mais la tradition des André.

— Béa, j'ai eu un choc en arrivant ici. Partout, ça sent l'eucalyptus et l'urine. C'est désolant. La pauvreté loge dans tous les coins. J'étais à l'arrêt d'autobus avec le médecin de la clinique lorsqu'un jeune Péruvien s'est jeté sur moi, et m'a volé mes lunettes de soleil. Surpris, je me demandais ce qui se passait. J'ai vu le jeune voleur courir à toutes jambes vers un vieux train arrêté. Est-ce possible qu'en plein jour, un enfant d'à peine 10 ans me vole ainsi ! Béa, je te décris cela pour te montrer que la pauvreté pousse au crime.

— Sois prudent, mon chéri.

— Ah oui, ne t'inquiète pas, je sors toujours accompagné.

— Veux-tu que je t'envoie une paire de verres fumés ?

— Ce serait gentil. Marie-Josée a les coordonnées de mon optométriste.

Norbert parle beaucoup de ce vol. Cela l'empêche de dévoiler ses sentiments pour Béatrice. Cette dernière évite de mettre son âme à nue.

Le téléphone terminé, chacun y va de ses regrets. « J'aurais dû lui dire que je l'aime, ah ma Béa... » « J'aurai dû lui dire que je m'ennuie de lui... » Une grosse larme perle à ses yeux. Il s'ennuie tellement de sa chérie. Béatrice, elle, ne tient plus en place chez elle. Elle enfourche sa bicyclette et va dissiper les pensées moroses qu'elle éprouve à l'endroit de Norbert et de son Pérou.

Tous les jours, depuis deux semaines, Béatrice s'empresse de vérifier son courrier. Encore aucune lettre de Norbert. Il est vrai qu'il lui a téléphoné à plusieurs reprises. Il s'ennuie... Elle s'ennuie... Heureusement, il y a les dimanches avec les enfants de Norbert. Ses sœurs aussi l'invitent fréquemment.

⁂

Des pas dans le couloir, des boîtes à lettres qui claquent, les bruits se rapprochent. Par l'ouverture de la porte, le facteur laisse tomber une lettre, une seule lettre. Cette fois-ci, c'est la bonne. Enfin...

Pérou, le 12 juillet 1980

Madame Béatrice Bélisle
Île des Sœurs
Montréal

Mon adorée,
Tu me manques, ma chérie. Je crois que j'ai fait une bêtise en te quittant. J'ai peur que tu m'oublies durant ces trois mois. Si j'étais près de toi, je te serrerais sur mon cœur. Nous nous fiancerions et je donnerais un grand bal. Je t'imagine vêtue de dentelles noires, tes longs cheveux flottants au vent, tes yeux rieurs et ta douce voix me disant : « Tu es fou, mon biquet ! »

Pour toi, je suis prêt à toutes les excentricités, aux pires folies. Si je n'avais pas donné ma parole à l'oncle Georges, j'irais te surprendre dans ton sommeil et je me blottirais dans ton giron. Comme des siamois, on ne se séparerait plus jamais...

Je veux te parler un peu de mon expérience péruvienne. L'avion s'est posé à Lima avec six heures de retard, mais on n'a jamais su pourquoi. Oncle Georges et un autre prêtre, lui aussi missionnaire des Saints-Apôtres, m'attendaient. Ils m'ont conduit à la clinique où je loge actuellement. Ce bâtiment est l'ancienne résidence des missionnaires. Ma chambre est une étroite cellule de prêtre. Je ne me plains pas quand je vois la misère qui existe autour de moi. La clinique compte une soixantaine de patients : jeunes et vieux, tuberculeux, handicapés, lépreux. Il y a un médecin, le docteur Carlos Soko, une infirmière québécoise, Thérèse Viau, une douzaine d'aides-infirmières, deux préposés à l'entretien, trois cuisiniers et moi. Ici, à Ricardo Palma, je vis comme un moine. Je suis le seul chauffeur de service. On me réclame à toute heure du jour et de la nuit. Je fais aussi office de mécanicien, de magasinier et de maçon. Oncle Georges est fier de mon travail, lui qui n'est pas capable de scier une planche droite.

Le peuple est étrange. Malgré leur extrême pauvreté, les gens chantent et dansent. Avec leurs habits colorés, ils ont toujours l'air en fête. Comme moi, tu aimerais te promener dans la foule qui flâne. Tu aimerais voir les costumes des femmes. Blouse de couleur, jupe sur jupe et chapeau d'hommes. Pour la plupart, ce sont des paysannes qui se joignent aux marchands ambulants et envahissent les trottoirs. Tu aimerais aussi voir les magnifiques fleurs que vendent les enfants.

Parlons maintenant de toi. Tu sembles bien t'entendre avec mes enfants, qui me manquent tout autant que toi. Comment va ton père? As-tu revu Lucie et Gaétan? Quand tu les verras, dis-leur encore merci pour le bon séjour passé au lac Innommé. Salut toute ta famille, de même que les miens.

Toi, ma chérie d'amour, je t'enlace avec une liane péruvienne...

Je t'aime.

Ton paquet de caprices,
Norbert

Béatrice lit la lettre d'un trait ; elle la relit à haute voix pour s'assurer qu'elle ne manque rien. Aux mots : « Ton paquet de caprices », elle éclate en sanglots. Peu à peu, elle oublie le temps, le lieu. Dans un moment d'extase, elle se retrouve au Pérou, enlacée par son bien-aimé. Elle ne peut résister plus longtemps, prend sa plume et...

Île des Sœurs, le 21 juillet 1980

Monsieur Norbert André
Pérou

Mon chéri, chéri,

J'ai reçu ta précieuse lettre. Je t'avoue que tu m'as fait pleurer. Aux mots : « Je t'enlace avec une liane péruvienne », j'ai éclaté en sanglots, jusqu'à détremper tous les feuillets.

Étais-tu inquiet de constater que l'avion avait six heures de retard ? Quel voyage ! Comment est ton oncle Georges ? Tu sembles t'accommoder de ta petite cellule de prêtre. On ne pense pas souvent à la chance que nous avons d'avoir de belles grandes chambres bien aérées. Les fenêtres sur le boisé t'attendent. D'après ce que tu me disais au téléphone, tu n'as pas une vue fantastique…

Tu me manques, mon amour. Il ne se passe pas un jour sans que j'embrasse ta photo, tu sais celle qui est ovale et qui trône sur le bureau dans ma chambre. Si elle parlait, elle te dirait de beaux secrets. Je m'ennuie, mon cher Norbert. Heureusement qu'il y a tes enfants et ma famille. Tes grands m'invitent à chaque dimanche ; nous parlons beaucoup de toi. Marc te remplace auprès de nous. Il joue au protecteur. Ce rôle lui sied à merveille. Dimanche dernier, je les ai reçus à dîner, c'était super ! Vers quinze heures, nous sommes allés nager, et ensuite, nous avons terminé la journée par une grande marche dans la forêt. Gaston connaît presque toutes les sortes d'arbres. Il rigole et dit : « Mes parents ne m'ont pas envoyé chez les scouts pour rien. » Les deux filles sont de belle humeur. Marie-Josée a maintenant un compagnon. Il a un enfant de 3 ans, qu'il prend avec lui toutes les fins de semaine. Natalie travaille très fort à ses cours d'informatique, qu'elle aime d'ailleurs de plus en plus. Marc est souvent à la Cour. Il est toujours libre comme le vent. Gaston a un projet secret. Il nous en parlera en temps et lieu.

Moi, je vais couci-couça. Le cafard me gagne souvent ; mais ne t'en fais pas, ta maniaco-dépressive ne fera pas d'excès, elle ne tombera pas dans l'humeur noire. Dans l'épreuve qu'est ton absence, ma famille me soutient. Marie-Noëlle, Marthe, Odette, Rose, Laure et Anne m'invitent à tour de rôle. Mes cours d'été à l'université prennent beaucoup de mon temps. C'est pourquoi, cher Norbert, il me sera impossible d'aller te voir. J'attendrai ton retour avec patience. Je marque les jours dans mon agenda.

Vendredi, j'irai en Mauricie. J'arrêterai dormir chez Isella ; ensuite, je passerai deux jours chez mes parents. Ils vont bien. Papa se remet très lentement de son infarctus. Maman le gâte comme je ferais avec toi si j'étais ta fiancée. Ah, ah, c'est une blague ! Quand tu me parles de fiançailles, je rêve d'aller me fiancer au lac

Innommé, seuls tous les deux et en costume d'Adam et d'Ève. Est-ce une bonne idée? Parlant du lac Innommé, j'ai vu Lucie et Gaétan chez Laure, à Belœil. Ils te saluent.

Je dois te quitter, mon chéri, car j'ai un travail à remettre à sept heures. Je t'aime très fort et j'ai hâte de te lire.

Ta presque fiancée,
Béatrice

Norbert reçoit la lettre de Béatrice dix jours après l'envoi. Il reconnaît bien son amie. Elle blague avec les fiançailles. Il regrette de ne pas lui avoir demandé avant son départ pour le Pérou. Il veut en faire sa femme. Il veut la choyer et l'avoir chaque soir près de lui. Il apprécie qu'elle lui donne des nouvelles de ses enfants. Il est si content de lire : « Tes grands m'invitent chaque dimanche, nous parlons beaucoup de toi. »

Béatrice, de son côté, a décidé d'atterrir chez Isella sans la prévenir. Heureusement, celle-ci est chez elle, et l'accueille à bras ouverts… Les deux amies bavardent tard dans la nuit; Béatrice ouvre son cœur à son amie. Elle lui dit comme elle est inquiète pour Norbert. Elle lui fait part de la petite rancœur qui loge au creux de son âme blessée. « Il aurait bien pu faire du bénévolat à Montréal. Il y a de nombreux pauvres, ici aussi. » Elle lui parle ensuite, et, pour la première fois, de l'attitude de Gaston à son égard.

— Il est rusé. Mine de rien, il me passe toujours la main sur la fesse lorsque je descends de cheval. Il veut être seul avec moi. Il m'a même offert d'aller le visiter à son appartement. Lorsque j'ai invité toute la famille à dîner, il a insisté pour m'aider à faire la vaisselle, alors que les autres s'en allaient.

— Il est psychologue. Il voit bien que le couple Norbert-Béa n'est pas des plus assortis.

— Ne me dis pas que lui aussi se rend compte de la disparité de notre tandem.

— Bien sûr, Béatrice. Nous ne sommes pas aveugles… Si tu avais rencontré Norbert hors de l'hôpital, en aurais-tu fait ton amoureux ?

— Isella, je dois t'avouer que Norbert m'a conquise dans un moment de faiblesse. Je n'avais plus confiance en moi. J'avais peur de tout. Inconsciemment, je me disais : « Lui aussi, c'est un psychiatrisé, il ne peut que m'accepter. » Tu sais, Isella, j'ai un grand complexe face à ma maladie. Je souffre beaucoup, car j'ai toujours peur d'une rechute. C'est peut-être la raison pour laquelle j'ai pris Norbert pour compagnon de vie. Il est si bon, et il me comprend.

— Tu dis compagnon de vie. Avez-vous assez d'affinités pour cela ? Tu es cultivée, Béa. Tu as beaucoup voyagé. Tu aimes la musique classique, le théâtre, le cinéma. Tu vas à l'opéra. Tes amis ont les mêmes goûts que toi. Qu'as-tu fait de tout cela depuis le début de tes fréquentations avec Norbert ? Je ne veux pas me faire l'avocat du diable, mais réfléchis bien avant de te lancer dans le mariage.

— Norbert n'est peut-être pas très instruit, mais il est intéressant. Il se passionne pour la politique et les sports. Il aime ses enfants. Il a hâte d'avoir des petits-enfants pour les gâter. J'aurais une belle vie de famille ! Et, en plus, il m'aime !

— Que feras-tu pour Gaston ?

— Je le remettrai à sa place. J'espère que c'est une tocade d'un gars de 27 ans.

— Et si c'était Marc?

Béatrice éclate d'un rire exubérant, tortille une mèche de cheveux et se décide à avouer:

— Ah, je ne dis pas... Il est bon comme son père, celui-là. Et sa culture me dépasse souvent. Tu peux lui parler des œuvres de Pierre Vadeboncoeur, comme des tableaux de Degas, il connaît tout. Mais c'est un solitaire. À 35 ans, il n'a toujours pas de blonde. Il a quitté Hélène, il y a presque un an. Il travaille tellement. L'autre jour, il avait à défendre un cas de viol. Il a mis une semaine à préparer sa plaidoirie. Il passe presque toutes ses fins de semaine à la ferme.

— Est-ce pour te voir?

— Es-tu folle?

❧

Chez ses parents, Béatrice n'est pas trop bavarde. Elle se dit que la dernière fois qu'elle est venue ici, c'était avec Norbert, et ça lui donne le cafard. Sa mère, qui s'en aperçoit, s'efforce de lui préparer des petits plats à son goût. Un rôti d'agneau lui changera peut-être les idées...

— Et papa, où est-il?

— Il est allé à l'écurie. Il vient de perdre son Pitt, son meilleur cheval.

— Qu'est-il arrivé?

— Il s'est cassé la patte en traversant le pont du Gros Ruisseau. Augustin a dû l'abattre, ce matin. Monsieur Veillette viendra le chercher tout à l'heure pour faire de la viande à chien.

Béatrice rejoint son père. Il est là, debout, près de son cheval mort. Songeur, il a les traits tirés, le regard bas. Elle le sort de sa rêverie et l'emmène se promener parmi ses autres chevaux.

— Vois, papa, il t'en reste plusieurs.

— Mais Béa, ce ne sera jamais mon Pitt. C'était un maître cheval. C'était le meilleur de tous!

— Pour tes chantiers, tu en trouveras un aussi bon. Jean va t'aider à en chercher un. Il a du flair, le frérot.

— Peut-être.

Béatrice et son père se promènent parmi les chevaux de chantiers. Il y en a de toutes les couleurs, mais pas un qui égale le superbe coloris gris du regretté Pitt.

— Il était mon compagnon. Je l'attelais pour aller à la cache. Les gens me regardaient arriver au magasin de la compagnie. Le plaisir que j'avais à le voir trotter ne s'explique pas. C'était ma Cadillac, ma Mercedes. Je l'avais acheté quand il n'avait qu'un an, il en a maintenant huit.

Béatrice partage la peine de son père. Mais il a un autre chagrin, plus profond: comme son cheval Pitt, il ne montera pas aux chantiers cet automne. Son médecin est formel, il lui faut du repos.

Après la tournée des chevaux, Monsieur Bélisle amène Béatrice à l'arrière du hangar.

— Te souviens-tu de l'histoire des dix poussins que tu avais enterrés, les pattes en l'air, pour les repérer? C'est ici, Béatrice.

— Ah oui, je m'en souviens. Tu ne m'avais pas grondée. Je croyais que les poussins écloraient plus vite si je brisais l'écaille. Les animaux étaient mes jouets. On n'avait pas trop de Fischer Price à la maison! J'aimais aussi beaucoup la maisonnette qu'Augustin nous avait construite à l'orée du bois.

— Vous n'étiez pas malcommodes. Tu ne nous as pas donné de trouble, Béa.

— Je me suis élevée toute seule, comme aime à le dire Odette.

— Vous nous avez aidés énormément à la ferme, parce qu'il fallait beaucoup de sous pour nourrir treize enfants.

Béatrice n'ose parler de son infarctus à son père. Elle le voit très fragile encore. Une simple marche le fatigue.

Ils vont se réfugier sous l'érable argenté où sont placés deux grands bancs. Ils parlent des enfants ; elle apprend à son père que Norbert est au Pérou, et qu'elle en éprouve un vif chagrin.

— Mais il reviendra, et ce sera plus beau !

— Il me semble que ça ne sera plus comme avant.

— Il faudra voir. Tu as voyagé beaucoup dans ta vie, ma Béa ; peut-être qu'il veut t'imiter.

— Je n'avais pas pensé à ça. C'est une possibilité. L'homme veut peut-être être égal à la femme ! Ah ! ah !...

Béatrice éclate d'un rire de bonne humeur qu'elle communique à Victor. Maman Victoire gâte Béatrice et se réserve un moment pour les confidences.

— Ton père m'a parlé du voyage de Norbert. Tu dois t'ennuyer ?

— Je m'ennuie terriblement ! Heureusement que mes cours à l'université occupent la plus grande part de mon temps.

— À chaque automne, Victor partait pour six mois. À chaque jour qui passait, je pensais à lui. Je comptais les jours, je priais Dieu de le protéger. Lorsque la neige fondait, j'espérais son retour. J'étais folle de joie à l'idée de le revoir.

— Papa était obligé de partir pour les chantiers pour gagner la vie de la famille, mais Norbert aurait pu rester avec moi.

— C'est une épreuve pour votre couple. La distance vous rapprochera peut-être. Quand doit-il revenir ?

— Vers la fin de septembre. J'aurai recommencé à enseigner à ce moment-là.

Durant les deux jours, il fut beaucoup question de Norbert. Les parents, autant que Béatrice, espéraient son retour.

꙳

Pérou, le 13 août 1980

Madame Béatrice Bélisle
Île des Sœurs
Montréal

Mon lapin d'amour,

J'ai reçu ta belle lettre, merci. Tu dis avoir pleuré ; moi aussi, lorsque j'ai lu ton désir de fiançailles sur le lac Innommé…

Oncle Georges va bien, il travaille beaucoup. Ici, c'est la routine. On travaille, on mange du maïs noir, des fèves et des pommes de terre très souvent. On dort. Je n'ai pas encore appris à parler l'*aymara* ou le *quechua* !

Béa, j'ai vécu une expérience pénible, la semaine dernière, à cause d'une Péruvienne. Il faut que je te la raconte. Maria, une femme dans la vingtaine, avait un grain comme on dit ici ; pour nous, il lui manquait un bardeau. Tous les jours, elle traînait dans Ricardo Palma, c'est-à-dire dans les environs de notre clinique. Elle errait à la recherche de nourriture, comme les chiens de la place. Échevelée et sale, elle allait et venait en répétant une litanie de paroles incompréhensibles. Le soir, elle allait se cacher dans un coin pour pleurer, souvent sous le perron du bazar. Selon l'oncle Georges, elle répétait constamment : « *Tengo hambre, tengo frio* » (j'ai faim, j'ai froid). On finissait par n'en plus faire de cas. Parfois, elle allait dormir sur un banc du parc, en face du poste de police. Personne ne s'en occupait, pas plus qu'on s'occupe d'un chien qui rôde.

La semaine dernière, je suis sorti très tôt et, sur le perron, j'ai aperçu Maria, toute recroquevillée. Un chien lui léchait le visage. Rien qu'en lui touchant le bras, j'ai pu constater qu'elle était raide morte. Béatrice, si je te raconte tout cela, c'est pour me défouler, m'enlever le choc que j'ai eu en retrouvant cette pauvre Maria. J'ai beau me raisonner, me dire qu'elle a fini de souffrir, il n'y a rien à faire. Elle est toujours là, toujours présente quand je pars ou que j'arrive de travailler. J'avais été confronté à la mort après l'accident d'Éliette. Cela m'avait bouleversé. Je ne pensais pas avoir à toucher la raideur d'un cadavre une autre fois.

Excuse mes propos macabres, mais toi seule peux me comprendre. Maria est morte de faim, et moi, juste à côté, je mange abondamment. C'est injuste, le monde dans lequel on vit. Je regrette tant de l'avoir laissée mourir comme un vulgaire chien de ruelle. Elle méritait mieux. Ici, la mort est normale, comme le boire et le manger.

À part cela, comment vas-tu ? Je suis heureux que tu t'entendes bien avec les enfants. Gaston m'a écrit, mais il ne me parle pas de son projet. J'ai téléphoné à Marc : il viendra me voir dans la dernière semaine de mon séjour. Je l'attendrai pour aller visiter le Machu Picchu. N'aimerais-tu pas être avec moi en ce moment ? Il fait un soleil de plomb, c'est beau ici. Les oiseaux chantent en québécois. Le temps s'arrêterait certainement pour nous permettre de nous aimer. Je dois te quitter, car j'ai un robinet à réparer. Porte-toi bien, je t'enlace cette fois, avec une liane africaine : elles sont plus résistantes !

Bonne nuit mon amour,
Ton Norbert.

Le lendemain matin, Norbert se rend à la poste. Il veut envoyer un colis à Béatrice. Il a acheté à Lima, pour elle, un magnifique foulard de soie aux couleurs vives. Il a choisi cette pièce d'artisanat péruvien avec amour. Norbert sait que Béatrice aime se parer de foulards. Tantôt elle les place autour de son cou, tantôt elle s'en sert pour attacher ses longs cheveux noirs. Il cache sa lettre dans le fond de la petite boîte de papier brun. Il imagine Béa ouvrant ce colis, et s'exclamant : « Chouette ! » Oui, Norbert est chouette, il a retourné plusieurs boutiques à l'envers pour trouver cette véritable pièce de collection. Il a acheté ce foulard le jour où il a vécu la saga de Maria.

❧

Béatrice lit la lettre de son amant. Longuement, elle la triture. Quelque chose tremble en elle. Elle se met à la place de Norbert : trouver une fille de 20 ans morte à ses pieds. Dans quel monde vit-il ? Quel choc il a dû éprouver ! Elle est tellement bouleversée qu'elle en oublie, un temps, le cadeau. Elle le prend doucement, le soulève, le palpe et, dans un geste qui lui est coutumier, l'attache à sa chevelure frais lavée.

Au Pérou, Norbert se remet un peu de ses émotions. C'est dimanche, et il fait beau. Oncle Georges lui suggère d'aller visiter le zoo qui se trouve à vingt minutes de la clinique.

— Carlos aimerait t'accompagner.

— D'accord, je le verrai.

— Je partirai avant vous et j'en profiterai pour lire mon bréviaire ; je vous attendrai sur le banc de pierres à la sortie du pont.

— C'est bien, nous vous rejoindrons avant quinze heures.

Carlos est heureux d'accompagner Norbert au zoo. Il adore parler anglais avec le Québécois. Il est maintenant cuisinier à la clinique, après avoir été marin ; il est même allé jusqu'en Australie. Tout en devisant de ses aventures, les deux amis s'engagent sur le pont de la rivière Rimac...

— Tiens, une vieille Jeep abandonnée.

— Elle est sûrement en panne d'essence, ça arrive souvent dans le pays.

Au même moment, arrive un camion transportant cinq militaires qui s'en vont surveiller la centrale électrique. Ils chantent et rigolent, tandis qu'ils traversent le pont à toute vitesse, car ils sont en retard. Tout à coup, un claquement monstre retentit ! Un coup de tonnerre fouette l'air, puis on entend des craquements, comme si on abattait de très gros arbres, et finalement, des cris affreux qui déchirent le soleil d'après-midi.

De son banc, oncle Georges entend la déflagration. Il court comme un fou, d'abord vers le pont, mais rebrousse chemin et descend plutôt au bord de la rivière, où il a vu s'écraser des objets étranges. Les gens qui accourent déjà de tous côtés hurlent de colère : «Le Sentier lumineux.... Le Sentier lumineux !» En effet, les terroristes qui connaissaient sans doute l'horaire des soldats ont placé une charge explosive dans la vieille Jeep qui semblait si innocente.

Une épaisse fumée jaillit du pont. D'autres débris retombent dans la rivière desséchée. Oncle Georges est abasourdi, ses jambes tremblent comme un marteau-piqueur. Il s'avance doucement et aperçoit une corps qu'il croit être celui de Norbert. «Oh, mon Dieu, est-ce possible ?» Il fixe la chair calcinée, son visage se crispe. Il s'immobilise devant le spectacle d'horreur qui s'offre à lui. Il murmure : «Oh ! non, non... non...» Il est en plein désarroi. Des larmes coulent lentement sur ses joues.

Peu à peu, la peur le saisit. Il passe sa main humide dans ses épais cheveux gris. Comment annoncera-t-il cette horrible tragédie à la famille ? Appellera-t-il Marc ou Béatrice ? Il reste figé, la figure pâle, en reconnaissant les restes du corps de Carlos. Sa chaîne en or pend encore à son cou. Des bruits de sirène viennent le sortir de sa stupeur. Deux ambulances et trois autos de police se ruent à travers les badauds, bientôt suivies d'autres véhicules. On établit des cordons de sécurité tout le long de la rivière. Oncle Georges espère avoir assez d'indices pour reconnaître Norbert parmi les victimes. Il se sent coupable ; n'est-ce pas lui qui a proposé à son neveu et à Carlos d'aller au zoo ?

Un train passe et crache un long nuage de fumée noire sur la scène. Georges serre les dents, et se met à marcher le long de la rivière tarie. Il est bouleversé. Au bout d'un trop long moment, il obtient enfin la permission d'approcher des décombres. C'est grâce à sa montre, restée intacte malgré le choc, qu'il reconnaît à coup sûr son neveu. Doucement, serrant son bréviaire sur son cœur, il lève les yeux au ciel. Prie-t-il ? Après un moment, il se tourne vers le lieu du désastre. Il n'y voit que désolation : des gens apeurés qui pleurent et se désespèrent et, à l'arrière-plan, une montagne dénudée, à laquelle on a arraché les derniers arbres pour survivre… Le prêtre s'exclame : « Quelle misère ! Est-ce pour lutter contre cette pauvreté que le Sentier lumineux commet tant d'infamies ? Pourquoi fallait-il que le sort tombe sur mon cher Norbert ? Il n'a rien à voir avec le gouvernement péruvien. »

Car, bien évidemment, Georges, comme tous ceux qui sont là, soupçonnent les rebelles d'être à l'origine de cet attentat. Ce Sentier lumineux révolté contre le gouvernement s'attaque à tout ce qui appartient à l'État. Les installations électriques sont une cible de choix, c'est pourquoi il a éliminé les gardiens de la centrale. Est-ce là un avertissement ?

Béatrice redoutait les actions du Sentier lumineux. Elle en avait fait part à Norbert dès qu'il lui avait annoncé son départ pour le Pérou.

❧

Oncle Georges téléphone à Marc. Heureusement, en ce lundi matin, il est à son bureau.

— Marc, j'ai une mauvaise nouvelle.

— C'est papa ?

— Il y a eu un attentat.

— Du Sentier lumineux ? Il est mort ?

— Malheureusement, oui. Ton père ne faisait que passer par là, en compagnie de Carlos, le cuisinier de la clinique. Les personnes visées étaient cinq militaires qui allaient surveiller les installations électriques. Tous sont au nombre des victimes. Nous nous étions donné rendez-vous pour aller visiter le zoo, et je les attendais de l'autre côté du pont qui a explosé.

— A-t-on trouvé les corps ?

— En bien mauvais état… J'ai déjà réclamé les restes de ton père. Les recherches ne sont pas terminées, vu que c'est arrivé hier après-midi, seulement.

— Quelle horreur !

— Marc, annoncerais-tu la mauvaise nouvelle à la famille et à Béatrice ?

— Je m'occupe de tout. Je pense que j'irai moi-même au Pérou pour récupérer les cendres de papa.

— Quand arriverais-tu ?

— Peut-être dès mercredi. Je vous téléphonerai quand j'en serai certain.

Le téléphone terminé, Marc se prend la tête dans les mains. Il sanglote. Il n'en croit pas ses oreilles. Il a l'impression d'un mauvais rêve. Comment annoncera-t-il ce drame à son frère et à ses sœurs ? Et à Béatrice donc ! Quel choc elle aura ! Elle que le spectre du Sentier lumineux terrorisait. Elle avait raison de craindre cette aventure. Marc est paralysé par sa douleur.

— Monsieur André, puis-je vous aider ?

Sa secrétaire, sa presque mère, est près de lui. Elle devine qu'un drame s'est passé. Elle a entendu pleurer.

— Papa est mort !

— Ah non, pas au Pérou ?

— Oui, au Pérou !

Malgré ses larmes, Marc répond aux questions de Madame Laurendeau. Puis, il lui demande de réserver un billet d'avion pour Lima, si possible pour mercredi matin.

L'associé de Marc, Luc Denis, est à la cour. Par l'intermédiaire de sa secrétaire, Marc lui fait transmettre les dossiers urgents. Il sort marcher rue Sherbrooke, pour réfléchir à la façon dont il annoncera la mort de Norbert à Béatrice. Pour ce qui est de son frère et de ses sœurs, il les convoquera à la ferme, ce soir. Mais, pour Béatrice, que faire ? La rencontrer chez elle ? Chez lui ? À la ferme ?

Il a un bonne idée. Il ira l'attendre à la sortie des classes. À quinze heures vingt, Marc se présente rue Bloomfield. Il frappe chez le directeur et lui apprend la mauvaise nouvelle. Il lui demande de faire venir Béatrice à son bureau après les cours ; il prétendra avoir eu affaire dans les environs. Après la bise d'usage, Marc lui dit :

— Je t'enlève pour un café.

— Tu ne travailles pas ?

— Je prends un petit congé.

Béatrice s'interroge. « Que me veut-il ? » Elle pense un instant à une mauvaise nouvelle…

— Ma voiture est juste devant.

Une superbe Volvo noire les attend en face de l'école. Quelques élèves sont plantés là, qui regardent un très bel homme dans une très belle auto enlever leur prof de français.

Un soleil de Van Gogh joue dans le ciel. Les gazons sont encore tout verts. Les feuilles s'agitent langoureusement dans les arbres, et les oiseaux s'exercent pour le concert du lendemain

— Où vas-tu, Marc ? il n'y a pas de café rue Pratt.

— J'arrête la voiture près du parc, il est si beau, ça contrastera avec la laideur de ce que j'ai à t'annoncer.

— Norbert ?

— Oui, Béatrice.

Marc lui raconte ce qu'il a appris par l'oncle Georges. Béatrice est folle de douleur. Dans l'auto, elle crie : « Non, non... c'est pas vrai... »

Marc passe ses deux grandes mains dans les longs cheveux de Béatrice. Il la laisse sangloter un moment, puis la serre contre lui en lui disant :

— Tu ne seras pas seule, Béa, nous sommes quatre à t'aimer. Et aussi, tu as toute ta famille.

— Mais ça ne me redonne pas Norbert ! Et moi qui le trouvais si triste dans sa dernière lettre.

— C'est la preuve qu'il s'ennuyait, et qu'il t'aimait !

— Tu dois avoir raison...

Et ainsi, pendant près d'une demi-heure, la presque fiancée de Norbert parle et pleure sur l'épaule de Marc.

— Puis-je te demander une faveur ? Veux-tu venir annoncer la nouvelle avec moi à Gaston, Natalie et Marie-Josée ?

— J'irai, parce que je vous aime tous.

— En attendant, je ne te laisse pas. Nous garerons ta voiture à l'Île des Sœurs, et nous irons prendre un léger repas chez moi.

— Tu es gentil, Marc.

L'appartement de Marc est fantaisiste : des tableaux au plafond, des tapis indonésiens, marocains, népalais ; partout, des livres, des disques qui traînent jusque dans la salle à manger ; de beaux fauteuils en cuir bourgogne, un bureau de travail tout à l'envers. Béatrice ne sait où s'asseoir. Elle opte pour un gros fauteuil de cuir. Marc lui offre un café.

— Comme tu me fais plaisir, c'est ma drogue.

— Moi aussi !

Béatrice entend chanter la cafetière Melitta. Elle ne peut s'empêcher de penser à la dernière fois que Norbert et elle ont pris leur petit déjeuner sur la terrasse. Elle ne se rappelle que les tendres moments passés en compagnie de son amoureux. Elle oublie tout ce qui les séparait, leur différence d'âge, leur différence culturelle, leurs ambitions, leurs loisirs. Elle est envahie par des images de randonnées à cheval et de longues journées à s'aimer. Marc sort Béatrice de sa rêverie :

— Sucre, lait ?

— Noir, merci.

— Moi aussi, comme papa l'aimait.

Les larmes de Béatrice se remettent à couler. Marc est mal à l'aise. Il éprouve des sentiments contradictoires. Le désir de la réconforter se mélange à celui de se blottir contre elle. Il la trouve toujours belle, toujours désirable, la petite Béa ; mais une ombre vient se placer entre eux : celle de son père, qui n'a certes pas eu le temps de voir venir la mort…

En route pour Mirabel, on parle de la pluie et du beau temps et autres banalités pour combler certains silences douloureux. De la fenêtre du salon, les trois enfants de Norbert guettent l'arrivée de Marc ; surpris de voir Béatrice avec lui, leurs cœurs se serrent. Ils ont le pressentiment d'un malheur… ce que confirment les yeux bouffis de Béatrice, sa démarche mal assurée. Marc, qui tâche d'amortir le choc que causera la nouvelle, parle du temps qu'il fait.

— Tu n'es pas venu ici, un lundi soir, pour nous parler météo, lui dit brusquement Gaston.

— Non, Gaston ; vous vous doutez déjà, je suppose, qu'il s'agit d'une mauvaise nouvelle.

— Papa ?

— Oui, il y a eu un accident.

Et Marc donne, pour la troisième fois de la journée, les détails du décès de leur père. Natalie court pleurer dans sa chambre. Marie-Josée sanglote dans les bras de Béatrice. Gaston, lui, reste muet. Il ne veut pas pleurer devant Béatrice, parce qu'un homme, ça ne pleure pas! Il se réfugie à l'écurie, où il restera jusqu'à la nuit. Il lui faut faire son deuil de Béatrice; il gardera son secret. Il n'osera plus jamais convoiter celle que son père aimait tant.

Le lendemain, Béatrice ne va pas à l'école, prétextant être malade. Elle a invité Marc à venir dîner avec elle. Le temps passera plus rapidement. Et elle veut discuter du voyage au Pérou.

«Si je n'enseignais pas, j'irais à Lima, j'irais à la clinique, j'irais voir les décombres de ce pont...»

Marc a la mort dans l'âme, lui qui se promettait un si beau voyage avec son père! Il voit son rêve s'envoler. Adieu le Machu Picchu, adieu les beaux sites archéologiques, adieu le lac Titicaca, adieu l'Amazonie. Ses vacances, il les prendra entre deux avions, à régler des détails de crémation et de funérailles. Comme pour noyer sa peine, Béatrice lui a offert son aide, qui s'avère fort précieuse : elle pense à tous les détails, appelle les ambassades, s'offre pour aller chercher les formulaires indispensables.

Le dîner est bref. Une salade, qui échoit dans la poubelle, et un café, pour penser vite et bien. Marc s'endort. Comme Béatrice, il n'a pas fermé l'œil de la nuit.

— Marc, tu as sommeil. Veux-tu qu'on aille marcher dans la forêt?

— Pas très longtemps, car j'ai de nombreux téléphones à faire.

Le soleil baisse lentement dans le ciel. Deux avions pourchassent les nuages. Un ballon dirigeable erre paisiblement.

Marc et Béa se taisent, profitant enfin de cette détente. Les fougères paraissent plus foncées qu'à l'habitude. C'est que la lumière du jour tombe ; il est déjà seize heures, et c'est l'automne. Les bouleaux, les hêtres et les érables commencent à perdre leurs feuilles aux reflets diaprés. Les eaux du ruisseau frissonnent, comme leur cœur meurtri. Au retour, ils entendent une chouette qui hulule.

— Il y a vraiment de tout ici, Béatrice.

— Oui, c'est comme sur la ferme de... sur votre ferme.

Béatrice ne peut penser à Norbert sans pleurer. Marc est sensible à ses larmes.

— Il me faut rentrer, Béatrice. J'ai toute la parenté à avertir. J'attends un téléphone de l'oncle Georges. Viendras-tu avec moi à la ferme ce soir ?

— Merci Marc, je vous laisserai ensemble. Je suis navrée. J'ai besoin d'être seule.

Après le départ de Marc, Béatrice téléphone à ses parents. Ils ont peine à croire à ce qui arrive. Norbert était déjà presque de la famille, ils étaient prêts à l'aimer comme un fils. Comme Victor, Norbert était un homme à chevaux. Les deux cultivateurs se comprenaient. Ils avaient d'interminables conversations au bord de la clôture de broche. Ils aimaient arpenter la ferme des Bélisle en causant terroir.

— Dis-moi, Victor, pourquoi Norbert voulait-il tant aller au Pérou ?

— L'aventure, ma vieille, l'aventure.

— Il aurait dû faire attention, il était soutien de famille, après tout.

— Quand une chose doit arriver, Victoire, ça arrive.

— On ne peut déjouer le sort... Mais Béatrice a tant de peine...

— La pauvre enfant a le don de s'embarquer dans des histoires compliquées.

— N'empêche qu'elle souffre.

Les parents de Béatrice ont beaucoup de peine pour Béatrice ; elle a eu son lot de chagrins dans la vie, elle n'avait pas besoin de cette terrible épreuve. Les sœurs et frères de Béatrice reçoivent la nouvelle avec consternation. Ils aimaient Norbert. Lucie et Gaétan se rappellent leur fantastique séjour au lac Innommé, son émerveillement pour la beauté du lac, les bons repas de truites, l'atmosphère d'amour qui régnait sur l'île... Il avait adoré ce voyage. La semaine avait passé trop rapidement. Norbert va manquer à Gaétan et Lucie. Ils sont assommés par la nouvelle.

Béatrice pleure au téléphone. Elle pensait ne plus avoir de larmes, mais lorsqu'elle appelle Isella, sa voix se casse. Il y a un long silence, puis, dans une tirade échevelée, elle raconte le drame et la douleur qu'elle ressent.

— Je te comprends. Sois forte et, surtout, ne reste pas seule.

— Marc ne m'a pas quittée hier.

— Anne habite le même édifice que toi, non ?

— Elle travaille le soir, elle donne des cours aux adultes.

— Viens passer une semaine avec moi quand le service funèbre aura eu lieu.

— Je te remercie, Isella, mais j'enseigne.

— J'oubliais. J'étais si habituée à ton congé de maladie !

— J'irai passer une fin de semaine avec toi.

La communication se termine, parce que Béatrice n'en peut plus...

CHAPITRE VIII

LE MACHU PICCHU

À Lima, le soleil se couche sur l'aéroport Jorge-Chavez où oncle Georges attend Marc. Oncle Georges est un homme simple, généreux, d'une empathie sans limite. C'est un prêtre moderne et ouvert d'esprit, qui s'emploie à répondre aux nombreux besoins des Péruviens. Leur alphabétisation lui tient principalement à cœur. Le soir, après son travail d'économe, il donne des cours à une centaine de personnes. Mais il essaie aussi de réconcilier l'homme et la nature. À certains égards, il a la candeur de l'enfance. C'est pourquoi il ne se désole pas trop de l'accident de Norbert ; il le croit parti pour un monde meilleur.

Un homme qui a l'air fourbu s'avance vers les guérites de l'immigration. Il transporte un sac de cuir noir sur l'épaule. Il semble accablé par un lourd chagrin. Après être passé à la douane, il récupère deux grosses valises et va vers la sortie.

— Oncle Georges...

La gorge serrée, on se fait l'accolade.

— Mais Marc, tu déménages au Pérou ?

— Non, mais toute la famille et Béatrice ont préparé des tas de vêtements pour vos pauvres. Le linge de papa servira à vos protégés.

— Ils sont si démunis, merci pour eux.

— Mon oncle, comment ça se passe avec les recher-ches ?

— Tu sais, ici, tout va très lentement. Il y a des soldats qui surveillent sur un demi-kilomètre. Il nous faut attendre.

Et lentement, Marc monte dans un taxi mauve avec son oncle. En route vers Ricardo Palma, on s'échange des nouvelles des enfants, de Béatrice, de tout et de rien. Parse-mée de longs silences, la conversation tombe dans les lieux communs. On ne peut pas parler du disparu, ça fait trop mal. Le fourmillement de Lima surprend Marc. Tous ces enfants déguenillés qui mendient lui font pitié. Il se rappelle le petit voleur qui avait dérobé les lunettes de son père. Lui revient en mémoire la saga de Maria dont avait parlé Norbert dans une lettre à Béatrice. Béatrice... Béatrice...

— Tu es rendu loin, Marc...

Les routes sinueuses sont souvent défoncées ou en construction, ce qui retarde beaucoup les voyageurs. Marc aperçoit par la fenêtre sale du taxi une immense foire : des poules qui encombrent la rue, des chiens qui aboient au soleil couchant, des enfants qui courent dans toutes les directions. Tous ces mouvements l'étourdissent et le replongent dans son questionnement. « Pourquoi mon père a-t-il senti le besoin de venir ici ? Que cherchait-il à des milliers de kilomètres de chez lui ? Que manquait-il à son bonheur ? Que voulait-il prouver ? Je ne le comprends pas toujours. Il avait tout : une ferme, une famille qui l'aimait, et Béatrice qui l'adorait... » Le taxi s'immobilise subite-ment, ce qui sort Marc de ses interrogations. Sur la route, sont échouées des dizaines de cabanes en paille tressée. Des pluies torrentielles ont emporté tout ce que les villageois possédaient, les plongeant dans le plus grand dénuement.

— La déforestation cause ces catastrophes. Étant donné qu'il n'y a plus d'arbres pour empêcher les glissements de terrains, les maisons sont emportées ici et là, souvent englouties. Regarde Marc, ces maisons étaient à flanc de la montagne, et elles se sont échouées ici.

— Est-ce que ce genre d'incident est fréquent?

— Trop fréquent.

Ricardo Palma est un village désertique, endormi au pied des Andes occidentales. Il ne compte que quelques centaines d'habitants. Seule la rue Principale est pavée. Il est très tôt le matin. Quelques habitants, vêtus à l'américaine, marchent sur la route en terre battue. Oncle Georges montre une petite maison et dit:

— C'est là qu'est né Carlos.

— Qui est Carlos?

— C'est le jeune homme qui accompagnait ton père, lors de l'attentat.

— Avez-vous trouvé son corps?

— Oui, mais plutôt déchiqueté…

Le lendemain, à la première heure, Georges se rend à la caserne militaire afin de se procurer un laissez-passer pour explorer les lieux de l'accident.

— Ça prendra cinq à six jours, dit l'officier.

— Nous irons près de la rivière Rimac cet après-midi, nous verrons de loin l'ensemble de la catastrophe.

— Ça va.

Marc est comme un zombi. La fatigue de ces dernières nuits sans sommeil se fait sentir. Il ne fait que suivre le prêtre. Au bord de la rivière, tous deux s'arrêtent, sidérés. Une jeep calcinée, toute froissée, à laquelle il ne reste que trois pneus, donne une impression de désolation. Des morceaux de pont à moitié carbonisés gisent épars, attendant d'être récupérés. On s'en servira pour faire du feu et cuire les aliments. Un fusil couché dans la boue a été oublié là. Des lambeaux de vêtements se soulèvent sous le faible vent. Des dizaines d'enfants attendent pour s'emparer des objets éparpillés, mais les soldats surveillent.

Marc voudrait franchir le cordon de sécurité et faire comme les soldats, chercher... chercher... au cas où il trouverait un objet ayant appartenu à son père. Mais il lui faut un laissez-passer.

En fin d'après-midi, à la morgue, Marc est bouleversé à la vue de ce qui reste de son père. Le temps s'arrête… L'oncle Georges tire Marc de sa torpeur, et l'emmène hors de la pièce. Marc jette un dernier regard sur la dépouille de son père et éclate en sanglots. À reculons, guidé par l'oncle Georges, il sort pour respirer un peu.

Encore cinq à six jours avant d'avoir la permission de fouiller les décombres. Plutôt six que cinq avec les Péruviens. Ce délai permettra de visiter les sites des Incas.

— Pourquoi ne pas aller à Machu Picchu?

— J'allais vous le proposer, oncle Georges. J'ai un billet ouvert et mon associé est fiable. C'est un vieux garçon endurci qui, à 39 ans, ne semble intéressé qu'à sa profession.

— Tu es chanceux d'avoir quelqu'un de fiable.

— À qui le dites-vous!

— Partirons-nous dès demain?

— Si c'est possible. Je veux quitter ces lieux, j'y étouffe.

— Je te comprends. Nous louerons une jeep, car je ne voudrais pas priver la clinique de la camionnette pendant trop longtemps.

La journée a été pénible. Le souper à la cafétéria est maigre et vite expédié. Georges propose à Marc :

— Un petit cognac à mon bureau ?

— Volontiers.

L'oncle lui sert une généreuse rasade, puis une deuxième. Les deux hommes, à cause de la fatigue de la journée, sont un peu gris. L'oncle passe aux confidences.

— Marc, j'ai confié un grand secret à ton père et je veux faire de même avec toi, car je te fais confiance. Je suis tombé en amour avec une Péruvienne, à qui j'ai fait un enfant, qui a maintenant un an. Rosa a 28 ans. Elle était secrétaire à notre procure. C'est là que tout a commencé. C'est un beau roman qui dure toujours. Cette fille est tout ce qu'il y a de plus parfait sur la terre. Elle est adorable. Ses yeux ont la couleur des Andes. Lorsqu'elle est devenue enceinte, elle a dû quitter son travail. Ce n'est pas avec mes maigres revenus qu'elle pouvait vivre. Je lui ai ouvert un petit kiosque d'artisanat ici, à Ricardo Palma. Maintenant, elle gagne bien sa vie. Son grand succès, c'est la poupée péruvienne. Les touristes en raffolent. Je suis déchiré entre Rosa, mon enfant et les Ordres. Je pense résoudre le problème moi-même. Il s'agit de ma vie. Souvent, j'ai songé à quitter la vie religieuse, mais mon directeur spirituel ici, au Pérou, dit que c'est prématuré. J'ai abordé ma vie avec ambivalence. Notre garçon Pedro fut longtemps mon obsession. Là, ça va mieux. Il grandit en sagesse. Il ressemble à sa mère. Il a les mêmes yeux verts et la figure carrée des Péruviens. Je me dois d'être discret. Je ne vois Rosa qu'une fois par semaine. J'en souffre. Ça me fait du bien de te confier mon secret. La solitude me pèse lourdement. Quand je pense que c'est moi qui aide les autres à mieux se connaître et à mieux se comprendre ! Sais-tu,

Marc, ce qu'il y a de plus pénible dans cette situation, c'est que mon propre fils m'appellera Monsieur. C'est insoutenable. Mais Rosa et moi en avons décidé ainsi. Je pense que c'est mieux pour Pedro et pour nous deux. Quand il ira à l'école, je ne veux pas qu'il soit tourné en ridicule par ses compagnons. Je ne l'entends pas dire : « Papa, le prêtre. » Plus tard, on verra, je n'ai que 49 ans.

— Je serai discret, je vous le promets. Moi aussi, j'ai un secret à vous confier…

— Vas-y.

Les vapeurs du cognac aidant, Marc enchaîne :

— Je dois vous avouer être amoureux d'une étoile inaccessible. Elle n'en sait rien. J'essaie d'être discret. J'ai eu le coup de foudre dès que je l'ai vue. Cette femme est belle comme une déesse. Elle a toutes les qualités : intelligente, cultivée, enjouée, aimante, dévouée, et j'en passe. Elle aime aussi la vie. À 44 ans, elle n'en paraît que 30. Tous les quinze jours, elle entretient ma flamme, car je la vois à la ferme. Pour elle, je me fais beau et j'espère qu'elle me remarque. Mais elle n'avait d'yeux que pour son bel amant…

Marc baisse la tête, une certaine gêne l'envahit. Oncle Georges questionne :

— Serait-ce Béatrice ?

— Vous avez deviné. J'étais même jaloux de mon père… Ça m'a fait du bien de m'ouvrir à vous. Vous êtes le premier à qui… Il faut bien que je sois à des milliers de kilomètres de Béa pour parler d'elle…

Un long silence règne dans la pièce.

— L'important, Marc, c'est que personne ne soit au courant de ta passion. Montre de la prudence. N'essaie pas de conquérir Béatrice trop vite. Attends, attends, même si tu es sûr de tes sentiments. Patiente, ça n'en sera que plus beau. Laisse-la se rapprocher de toi. Continue vos dîners de famille. Allez à cheval, cela n'a rien de compromettant. Ne dis ton secret à personne, même pas à ton meilleur ami. Sache qu'il faudra beaucoup de temps à Béatrice pour oublier ton père. Elle doit l'idéaliser, se le représenter sans défaut. Norbert me parlait de l'hésitation qu'elle manifestait quand elle a su pour le Pérou. Elle remettait leur relation en question. Cela, elle l'a oublié puisqu'elle ne voit plus que le bon côté des choses. Norbert, lui, voyait tout par les yeux de Béatrice : un rayon de soleil sur les pierres de ses champs, une fleur égarée, l'odeur des chemins le fascinait. Il voyait en elle une vraie femme. Il nous parlait d'elle presque à tous les jours. Il l'aimait follement. J'espère que tu lui rendras le même tribut. Mon expérience avec Rosa me montre qu'on n'aime jamais trop. Je suis épris de cette femme de façon incroyable. Le fait de vivre sans elle me fait beaucoup souffrir. Je me meurs de voir grandir notre fils. Mais ma douleur est aussi forte quand je pense qu'il me faudra quitter la prêtrise. Pourquoi le mariage des prêtres catholiques n'existe-t-il pas ?

— C'est une aberration !

— Je le crois aussi. Notre religion est arriérée en ce sens. Je suis quand même confiant, et je me dis que, dans une avenir prochain, un pape se décidera. C'est peut-être cette impression qui me donne l'espérance qu'un jour je serai un papa qui a comme emploi la prêtrise. En attendant, j'ai un plaisir irraisonné à penser que Rosa sera ma vraie femme, et Pedro, mon vrai fils. Pour le moment, le devoir de conscience est quelquefois ardu, je ne te le cache pas. Pourtant, la foi n'est pas tarie en moi.

— Je constate que vous êtes quand même optimiste.

— Oui et non. Cela dépend de mes activités. Avant de célébrer ma messe, je suis toujours déchiré. Tu sais, le péché de la chair est bien ancré chez les catholiques. Force m'est de constater que je suis chrétien, avec tout ce que cela comporte.

Oncle Georges donne ses conseils, raconte ses angoisses pour apprivoiser Marc. Il ne connaît pas bien son neveu. Il ne l'a vu qu'à cinq ou six reprises lorsqu'il était jeune. Norbert en parlait avec fierté. Il le disait mordu pour les arts, comme Béatrice. Il le savait bon avocat et très près de sa famille.

Georges questionne Marc sur sa vie amoureuse. La vie sentimentale intéresse le prêtre. « Rien ne m'amuse comme de faire des mariages », dit-il en riant. Marc ne s'est encore jamais marié. Dans ses amours successives, il cherchait toujours un plaisir nouveau. Et il tenait à sa liberté. Il appartenait à cette catégorie d'hommes intelligents qui brillent par leur conversation, montrant ainsi leur grande culture. Il parlait d'art et savait être romanesque. Il ne se cantonnait pas dans l'édifice de ses relations profession- nelles. Il faisait la noce. Il allait et venait, changeant de partenaire. Les femmes bien sculptées, à chair rose, avaient ses faveurs.

— Puis, il y eut Hélène, confie Marc. C'était une belle fille à l'œil vif et au front haut. Elle avait de jolies pom- mettes et une chevelure de sirène. Hélène n'avait pas beau- coup de culture, mais elle était honnête, clairvoyante et compréhensive. Elle a été ma compagne pendant quatre ans, au bout desquels elle a voulu se marier, car elle désirait des enfants. J'ai paniqué. La relation s'est ternie. Sous prétexte que nous n'avions pas assez d'intérêts en commun, nous nous sommes quittés. Hélène a eu un très grand chagrin.

Elle espère toujours reprendre cette liaison, c'est pourquoi elle garde d'étroits liens avec Natalie et Marie-Josée. Mon père aimait bien Hélène ; ils avaient les mêmes qualités, et papa aurait tellement aimé avoir des petits-enfants.

— Encore un petit cognac, Marc ?

— Non. Je serais complètement saoul. Je vais à ma cellule de moine, et je demeure bouche cousue... sur les confidences.

— Moi également. Bonne nuit, cher neveu.

— Bonne nuit. Georges.

⚜

À cinq heures du matin, dans une jeep blanche louée à Lima, Georges et Marc partent pour Cuzco. Ils dévalent les montagnes des Andes, et Marc, qui conduit, fait un peu le cow-boy. Les deux hommes ne sont pas bavards. Ils observent les arbres dénudés et constatent la pauvreté de la végétation. «C'est sinistre, comme la mort», dit Marc. Ils sont contents d'avoir quitté les lieux du drame. Mais les confidences de la veille ont laissé une certaine gêne entre eux. Qu'un prêtre ait un bébé et qu'un fils convoite l'amie de son père ne sont pas des situations communes. Ils n'en reparleront plus jamais...

À Cuzco, un train bariolé rouge et blanc attend les touristes. Il part avec une heure de retard. Il tortille ses flancs dans la sinueuse Cordillère. Quelques centaines de voyageurs se laissent ainsi ballotter, apeurés par les ravins abrupts qui semblent vouloir avaler le train. Le ciel est splendide, le paysage titanesque. Insouciant à tout, le train monte, descend, traverse la Vallée sacrée, et croise une dizaine d'amateurs de randonnée pédestre qui bravent la forêt dense et ses curieux locataires.

143

— Comme ça fait du bien de voir des arbres fournis !

— Tu as raison, Marc, ça fait contraste avec la ville.

— Les habitants de ces petits hameaux ont l'air heureux !

— Oui, tout autant que les lamas qui broutent au vent, répond l'oncle Georges.

Des champs de maïs blond et de pommes de terre retournées sur leurs flancs attendent la cueillette. Le fleuve Uru Bamba est ici traversé par un pont suspendu en plantes tressées, souvent emprunté par les sportifs qui suivent le chemin de l'Inca.

Après avoir franchi ses 120 kilomètres, le train pousse des cris stridents, avant de libérer ses voyageurs sur une grande plate-forme où les attend un minibus : encore des falaises abruptes, des ravins envoûtants, à couper le souffle, avant d'apercevoir un paysage qui dépasse l'entendement : la ville abandonnée qu'est Machu Picchu n'a d'égale que Palenque dans le Chiapas, au sud du Yucatan. Le site, qui s'étend sur deux kilomètres environ dans les contreforts des Andes, comprend des bâtiments de pierres, érigés il y a cinq siècles par les Incas, peu avant qu'ils soient décimés par les conquérants espagnols.

En descendant du minibus, les deux hommes restent bouche bée. Ils ne peuvent croire à tant de beauté. Le ciel est clair, d'un bleu profond à perte de vue.

— Marc, tu es chanceux de tomber sur une belle journée comme aujourd'hui. La première fois que je suis venu, les nuages masquaient entièrement le sommet des montagnes. Les derniers paliers de la ville se perdaient dans la brume, presque invisibles.

— C'est encore plus magnifique que sur les photos. On a beau se l'imaginer, se faire une petite idée, mais... aucune imagination ne peut atteindre l'ensorcellement de ces lieux. Puis, il y a tout cet étrange trajet avant d'arriver, cette attente avant l'éblouissement...

Une grandeur indescriptible se dégage des lieux. Cette ancienne cité Inca, située à 2045 mètres d'altitude, impressionne Marc et Georges par son mystère. Pendant deux jours, ils parcourent, fascinés, ces importants vestiges, ce qui apaise peu à peu la douleur de Marc, et lui permet de retrouver son calme, car, au retour de cette excursion, une tâche pénible l'attend. Il doit récupérer les restes de son père...

Il est quinze heures ; dans la chapelle de la clinique, Marc et quelques membres du personnel assistent au service que chante Georges pour le repos de l'âme de Norbert. Marc est effondré. Les cendres de son père, de son très cher père, sont là dans cette petite boîte de bois. Il la placera dans sa valise à main et la portera à Montréal, dès le lendemain.

LE RETOUR

L'ARRIVÉE À MIRABEL n'a rien de réjouissant. Le visage défait des siens montre leur peine. Béatrice, Natalie et Marie-Josée sanglotent. Gaston, à l'écart, ne sait que faire non de la tête, tellement la situation lui semble irréelle. Les grands bras de Marc entourent les trois jeunes femmes... Arrivés à la maison familiale, on fait raconter à Marc les circonstances de l'attentat. Chacun y va de ses questions.

Était-il seul?

— Non, il était avec Carlos, le cuisinier de la clinique.

— Est-il mort, lui aussi?

— Eh oui, Natalie. Si tu avais vu le carnage, c'était invraisemblable. Il n'y a eu aucun survivant, ni soldat ni civil.

— Penses-tu qu'il a eu le temps de voir venir la mort?

— Non, je crois que tout s'est passé dans l'espace de quelques secondes. La dynamite était cachée sous une vieille jeep que le Sentier lumineux avait abandonnée en plein milieu du pont.

— Penses-tu qu'il a souffert?

— Je ne puis le dire avec certitude, mais je crois qu'il n'en a pas eu le temps.

La douleur est telle que l'on détourne la conversation en parlant de l'oncle Georges :

— Comment se fait-il que l'oncle Georges n'était pas avec lui ?

— Il était parti avant papa et Carlos. Il les attendait de l'autre côté du pont où il était allé lire son bréviaire.

— Sauvé par la religion. Marc, penses-tu que l'oncle Georges reviendra vivre parmi nous ? Je l'aimais bien, moi. Quand j'étais petit, il m'avait aidé à construire une voiturette. Il venait souvent à la maison.

— Pour répondre à ta question, je ne pense pas qu'il revienne vivre au Québec. Sa vie est au Pérou, tout est à faire là-bas. Vous devriez voir l'extrême pauvreté qui règne autour de lui. Il fait du bien à tous, il leur apprend à lire et à écrire, et il les aide à mieux s'organiser. Il prend les adolescents en charge, leur donne à manger, monte des équipes de baseball et de basketball. Là-bas, tout le monde l'aime. Il a établi une coopérative où les femmes vendent leur artisanat.

— Que faisait papa dans tout cela ?

— Il était assigné à Ricardo Palma. C'est une clinique toujours bondée de malades. Papa y était l'homme à tout faire. Il était chauffeur, électricien, maçon et magasinier. Il a même remplacé un cuisinier pendant cinq jours.

— Il devait travailler beaucoup ?

— Tu le connais, c'est... c'était un passionné. Il travaillait avec cœur, sans compter son temps et ses pas. De toutes façons, il ne pouvait que travailler, et n'avait rien d'autre à faire, car Ricardo Palma est un petit village de quelques centaines d'habitants. Les gens des alentours viennent s'y faire soigner. Il n'y a qu'un seul médecin, qui travaille jour et nuit.

—Je ne peux pas croire qu'il ne sera plus jamais avec nous, dit Natalie.

— C'est difficile à croire, mais il faudra s'y faire! Malgré ses défauts, je crois que nous l'aimions tous beaucoup.

La famille se quitte vers les vingt-deux heures. Restée avec Jean, Marie-Josée pleure abondamment. Elle imagine son père, mort seul à l'autre bout du monde. Elle se voit avec lui sur le vieux cheval Vadrouille. Elle se revoit, pleurant avec lui sa mère et Hugo.

—Jean, je crois que notre famille est faite pour le drame.

— C'est vrai que vous avez été éprouvés; mais espérons que c'est terminé.

— Heureusement que tu es là avec moi, toi, mon Jean si patient, toi, mon bon compagnon de vie, toi, mon amour.

— Marie-Jo, nous ferons trois beaux bébés pour remplacer ces trois êtres chers.

— D'accord Jean, d'accord.

Marc est l'exécuteur testamentaire de son père. Vendredi soir, il convoque son frère et ses deux sœurs pour la lecture du testament. Le notaire Lamy est là, qui détend l'atmosphère avec son habituelle bonhomie. Quelles étaient les dernières volontés de Norbert? Tous l'ignorent. Leur père était très secret à ce sujet.

Avant l'ouverture du document, les cœurs se serrent. Un silence de chapelle règne dans la grande salle à manger. Le notaire Lamy commence la lecture du testament:

— À Gaston, Marie-Josée et Natalie, je lègue la maison, son contenu et mes assurances (voir polices ci-jointes). À Marc, je lègue la grange et son contenu, les deux lots de terre et de forêt numéro 1104 et 1105; les deux chevaux iront à Béatrice.

— Entre mes quatre enfants, Marc, Gaston, Marie-Josée et Natalie, seront répartis, en parts égales, les montants d'assurances laissés par leur mère et l'argent des comptes de banque.

Après la lecture, les discussions ne sont pas longues. Il y a les signatures de formalités et le notaire quitte.

Natalie demande combien peut valoir la maison. Gaston s'abstient de toute réponse, de même que Marie-Josée, et Marc de répondre :

— Je n'en ai aucune idée ; si vous êtes d'accord, je vais engager des experts à mes frais qui en établiront la valeur.

Puis il ajoute :

— Je suis intéressé à acheter la maison, si vous la mettez en vente. Pensez-y, et après l'expertise, nous nous reverrons. Avant de repartir, je veux vous faire part d'une reconnaissance de dette de 20 000 $ que père m'avait signée. Cet emprunt lui avait servi à racheter des biens après sa faillite. Je me rends compte que j'ai peut-être eu un peu plus d'héritage que vous. Vous en avez maintenant la raison. Je ne réclamerai jamais un cent de la succession. Je calcule que les lots de terre et de bois me remboursent largement.

— Je trouvais aussi que notre père avait vite remonté la côte après sa faillite…

— Tu vois, Gaston, c'était là toutes mes économies. J'avais épargné pour m'acheter une maison.

— Tu l'auras peut-être, ta maison, si les filles sont d'accord.

— Je veux réfléchir, dit Marie-Josée.

— Moi aussi, d'ajouter Natalie.

Une semaine plus tard, les experts donnent leur rapport. L'estimation de l'un se chiffre à 100 000 $, et celle de l'autre à 90 000 $. Marc convoque à nouveau ses frère et sœurs. Il y a bien un peu de chicane. Marie-Josée ne veut pas vendre ; elle voudrait qu'on laisse la maison telle qu'elle est, et que chaque enfant y aille à son gré. Gaston lui dit :

— Ni toi, ni Natalie, ni moi ne pourrions payer pour l'entretien et les taxes de la maison. Il y a aussi les réparations : le toit est à refaire, les joints à réparer, ce qui est très cher, l'intérieur à moderniser ; tout ça demande une très grosse somme.

— Ah, je ne savais pas.

— Moi non plus, de dire de Natalie.

— Si j'achète, vous serez un peu chez vous.

— Si c'est comme ça, de rajouter la grande sœur, je donne mon accord. Je n'ai jamais pensé que cette maison exigeait tant de réparation.

— Papa m'en parlait souvent. Il réparait ce qu'il pouvait, mais il reste de gros travaux à exécuter. Il y avait aussi sa dette envers moi qui l'affligeait. Il ne pouvait même pas me payer les intérêts.

Gaston avait eu une longue semaine pour penser à cette vente. Il voulait que tout soit réglé avant son départ pour Paris. Les quatre enfants se quittent, un peu tristes. Ils ont tant de souvenirs dans cette maison : il leur semble que Norbert, Éliette et Hugo approuvent leur décision.

Norbert avait fait un bon testament. Il n'est contesté par personne, mais contribue, au contraire, à resserrer les liens familiaux.

❧

Les mois suivants, la disparition de Norbert est pénible pour tous. Béatrice est abattue. Elle va souvent au petit cimetière de Mirabel y déposer une rose rouge. Norbert manque à ses enfants et à Béatrice. Depuis son départ, Natalie, Marie-Josée et les deux garçons ont conservé l'habitude d'inviter Béatrice au dîner du dimanche. Aujourd'hui, c'est une occasion spéciale : Gaston se prépare à partir pour un séjour de deux ans en France. On le fête. À regret, il quittera Béatrice. L'amie de son père a meublé la tête exaltée du jeune psychologue depuis près d'un an. Après le décès de Norbert, Gaston a fait son deuil de Béatrice. Cette dernière, enroulée dans sa peine, ne faisait que bercer seule son cœur meurtri.

Aujourd'hui, tout le monde est à la maison familiale. Marc arrive le dernier et dépose deux bouteilles de champagne dans les bras de son frère cadet : « Pour ta nouvelle vie parisienne, frérot. » Lentement, Gaston se rend au réfrigérateur, y place le précieux nectar et lance vers Béa, qui lave les pois mange-tout, un regard moqueur. Il lui chuchote : « Il est fin, mon frère le riche. » Béatrice lui fait un petit sourire. Gaston la trouve si belle dans sa robe rouge qu'il a envie de la croquer. Marie-Josée devine le penchant de Gaston pour celle qui s'apprêtait à devenir sa belle-mère et demeure discrète. Elle parle beaucoup de son futur déménagement. C'est elle qui occupera la maison familiale, c'est elle qui soignera les deux chevaux tôt le matin, c'est aussi elle qui recevra Béatrice, Natalie et Marc le dimanche midi. Finie la maison déserte des derniers mois ; vive la vie, vive l'esprit de famille.

Le dîner est prêt. les cailles que Béatrice a apportées dressent leurs fines pattes dans le four allumé. Natalie a préparé une entrée de saumon fumé sur cœurs d'artichauts nappés d'huile d'olive vierge. Au repas, on boit à la santé de Gaston. Marie-Josée a choisi le bichot que son frère aime. Au dessert, le champagne réchauffe les esprits. On passe au salon pour le café. La famille est animée, on se raconte des blagues pour dérider Gaston qui, lui, ne s'intéresse qu'aux deux tableaux de Wolfe. C'est sa mère qui les avait choisis, dix ans plus tôt.

Après le repas, Béatrice propose :

— Qui vient à cheval ?

— Moi, répond Gaston.

Gaston s'offre ce dernier plaisir. Il veut voir la belle écuyère, cheveux au vent, galoper près de lui. La chevauchée est très longue. Béa et Gaston ne s'arrêtent que pour boire à la source du Chêne. Ils parlent surtout de Paris.

— Viendras-tu me voir, Béatrice ?

— Je ne le sais pas, Gaston. Mes cours du soir à l'université et mes classes bouffent toutes mes énergies.

— Je pourrais te recevoir. J'aurai un appartement à Paris. Je vivrai dans le Quartier latin.

— Je sais que tu seras bien logé, mais réellement, je ne pourrai te visiter.

Gaston ne se fait pas plus insistant. Il réalise bien que Béatrice n'est pas pour lui. Le retour se fait en silence. Natalie et Marc attendent les chevaux pour faire une promenade. En s'éloignant, Marc envoie la main à Béatrice. Ce qu'il la trouve belle, la petite maîtresse d'école ! Belle en dehors et au-dedans. Il n'a jamais vu une aussi grande âme. Il voudrait une copie conforme pour celle qu'il choisira comme mère de ses enfants. Tout au long du parcours, Marc ne peut effacer de son esprit l'amie de son père. Il la trouve désirable. Il la voit entrer dans la maison avec Gaston, et s'en trouve jaloux. Il se retient pour ne pas faire demi-tour.

Natalie, la sœur cadette, entretient son grand frère au sujet de ses cours d'informatique. Elle parle de ses profs, de son dernier examen. Marc l'écoute d'une oreille attentive, sachant bien qu'il remplace son père maintenant.

Le soleil baisse, le vent s'apaise, les chevaux montrent des signes de fatigue.

— Je n'ai pas de cours demain. Marie-Jo m'a invitée à dormir ici. J'aime tellement être dans mon lit douillet.

— Profites-en, ma chérie. Papa serait fier de nous.

— Marc, penses-tu que Gaston est heureux ?

— Je n'en sais rien. On dirait qu'il fuit quelque chose.

— Il est si secret que l'on n'en saura jamais rien.

— Nous voilà rendus, Natalie.

Marc aide sa sœur à descendre de cheval ; ils détellent et courent à la maison. Après une petite demi-heure de bavardages, Béatrice se prépare à rentrer chez elle. Elle fait ses adieux à Gaston, et fait la bise à Marc et aux deux filles.

Dehors, il fait nuit noire, sans lune, sans une étoile. Seules quelques feuilles bruissent à l'unisson. Marc ne trouve pas le sommeil. La vue de Béatrice a aiguisé ses sens : il tend les mains et a l'impression de la toucher. Il se sent enivré par les parfums de la nuit. Il enfourche sa monture pour chasser Béatrice de ses pensées.

Marc entreprend une ballade dans son sentier préféré. L'odeur du sous-bois l'enivre. Au-dessus de sa tête, les lourdes branches lui font une arche qui lui cache le ciel. Une chouette hulule, comme pour demander : « Qui va là ? » Le cavalier en fait fi et s'enfonce plus profondément dans la forêt.

Marc chevauche paisiblement ; pour quelques instants, il oublie toutes ses obsessions. Soudainement, Opéra manifeste de la nervosité. Marc flatte sa bête et scrute les alentours. Il se sent épié. De sa grosse voix, il tonne : « Y a quelqu'un ? » Point d'écho et point de réponse. Qui a-t-il pour que les rares oiseaux s'envolent ? Marc devine une présence, mais n'arrive pas à identifier l'intrus. Il écarquille les yeux lorsqu'un cheval blanc le dépasse. Devant lui, il voit une cape noire flotter nerveusement. Mais déjà, il n'entend plus que les sabots qui claquent. Marc lance son cheval au galop. Opéra est fringant. Il court ventre à terre et tente de rejoindre l'inconnu. « Qui est cet obscur personnage ? Que fait-il sur les terres de mon père à cette heure de la nuit ? Qui est-il pour connaître ainsi les lieux ? » Tout à coup, l'étranger réapparaît et lui fait signe de le suivre.

Marc, surpris, accepte l'invitation d'un claquement de son fouet. Il est intrigué par cet homme qui file à toute allure devant lui. Une impression familière l'envahit. La posture, les gestes, la taille de l'homme évoquent vaguement quelqu'un qu'il connaît. De plus, il croit avoir reconnu Ivoire, son balancement de tête, sa manière de courir. Il se demande s'il est victime d'une mauvaise plaisanterie ou d'un piège. Sans réfléchir, il se lance à sa poursuite.

L'étranger le devance de plusieurs mètres. Les chevaux empruntent les sentiers qui longent la forêt de pins. Ils naviguent dans cette ère enchantée où rien ne vient déranger leur course folle. Marc pousse son cheval à fond de train. Opéra respire bruyamment ; une fumée épaisse sort de ses naseaux. Son galop se rythme au son de la course du prétendu cheval Ivoire. Il hennit. Marc est étonné de voir que le cavalier connaît si bien le terrain. « Est-ce le voisin, ami de Natalie, qui me fait une mauvaise blague ? La seule personne à bien connaître ce chemin est mon frère Gaston, mais il est à Paris. » Marc met de côté ces pensées et se concentre sur sa poursuite.

La distance entre les deux cavaliers se rétrécit. Le meneur se sent de plus en plus talonné. Il fatigue son cheval ; l'eau ruisselle sur le corps de l'animal. L'homme insolite sait que sa bête s'épuise, mais il la pousse à l'extrême. Pourquoi agit-il ainsi ? Qu'est-ce qui justifie cet accès de folie ? Comme si l'enjeu de la course était une femme !

Cette compétition est un véritable duel. En bon stratège, Marc décide de ne pas épuiser sa bête, et ralentit son allure. Ayant perdu de vue le mystérieux cavalier, il immobilise Opéra et tend l'oreille. Il ne perçoit plus le galop de l'autre. Marc n'entend que le battement de son propre cœur, qui bat à tout rompre. Il reprend sa route au trot. Il cherche, il cherche partout. « Où est ce malin ? Que veut-il ? »

Soudain, il entend un hennissement et se précipite dans la direction du cri. Descendu de sa monture, il écarte les branches et aperçoit le cheval couché par terre, agonisant. Il est stupéfié lorsqu'il reconnaît à coup sûr Ivoire, qui respire à peine. La tête appuyée sur une roche, elle cherche son souffle ; sa panse se gonfle sous la douleur. Ses oreilles ne bougent plus et ses yeux fixent le vide. Il a de la diffi-culté à regarder la scène. Il détourne la tête et songe à la peine qu'aurait Norbert s'il voyait sa bête dans cet état.

Marc prend une longue respiration pour se donner du courage. Il se retourne, et aperçoit l'étranger. Ce dernier sort un pistolet et le braque dans la direction de l'animal. Il tremble et dit : « Pour moi, c'est fini ! » Après ces mots, il tire et tue Ivoire. Marc regarde l'animal s'éteindre. Il s'écrie à haute voix : « Pourquoi ? » Réalisant qu'il a perdu la course, que Marc sera toujours gagnant, l'étrange homme tombe à genoux, impuissant. «Tu as gagné. Elle est à toi. Je vous laisse...» Pris par une insoutenable honte, il baisse la tête.

Marc s'approche et soulève la cape noire. Sous le choc, il crie : «Gaston!»... et se réveille tout en sueur. Il regarde son réveil, il n'est que cinq heures.

CHAPITRE X

LA PÊCHE BLANCHE

NATALIE ET BÉATRICE sont en effervescence. Elles ont décidé d'aller à la pêche blanche à Sainte-Anne-de-la-Pérade avec Marc. Trois jours de plein air à taquiner le petit poisson des chenaux leur fera du bien. Elles se voient déjà sur les rives glacées de la rivière. Marc a réservé une cabane sur la glace et deux chambres à la maison Plumier. Il ne reste plus qu'à espérer un temps froid; la glace doit avoir au moins trente-deux centimètres pour être sécuritaire.

C'est lundi, jour du départ. Marc téléphone à Béatrice.

— Je suis désolé, Béa, mais Natalie a une fièvre de cheval, elle ne peut venir avec nous.

Béatrice prend un moment à réagir, puis:

— J'espère qu'elle ne sera pas trop malade.

— Je l'espère.

— À quelle heure partirons-nous?

— Je serai prêt à onze heures.

À onze heures et demie, la Volvo noire décolle de l'Île des Sœurs. Sans se réjouir de la maladie de Natalie, Marc est bien content de se retrouver seul avec Béatrice…

La rivière, inondée de soleil, est particulièrement accueillante en cet après-midi du 2 janvier. Une brise faible réussit à donner de belles couleurs aux joues de Béatrice. Le propriétaire de la cabane la leur fait visiter : un petit refuge, très éloigné des autres abris. Cette construction n'a que huit pieds sur huit, et à peine six pieds de haut. Marc doit se pencher pour y entrer. Deux banquettes de bois qui se font face attendent les pêcheurs. À l'extérieur... quel espoir ! Le maître des lieux sort sa perceuse mécanique et fait cinq trous par lesquels on capturera le poulamon. Selon le désir de Marc, qui veut pêcher dehors, il y installe des brimbales, ou cannes à pêche d'hiver. Il donne cet avertissement à Marc : « Vous devez entretenir les trous ; dès qu'un poisson mord, la brimbale bascule. Si vous êtes chanceux, vous pouvez attraper des perchaudes en plus des poulamons. Regardez, ce système ressemble aux puits de l'Alberta, mais ce n'est pas de l'or noir qui sort, seulement de beaux petits poissons blancs. »

Béatrice a suivi toutes les explications du pêcheur. Elle se propose bien de rester dehors le plus longtemps possible ; elle est habillée chaudement. Elle n'est pas venue ici pour parader. Son « parka » rouge est vieux de dix ans. Monsieur Poulin laisse les apprentis-pêcheurs et, enfourchant sa grosse motoneige noire, il s'en va percer d'autres trous, n'oubliant pas son berger allemand qui court à ses côtés.

Marc a tout prévu, même le petit cordial qu'il sort de l'intérieur de son anorak. Tiens Béa, réchauffe-toi, lui dit-il en lui tendant une jolie petite gourde de caribou. Béa boit, et s'exclame : « Que ça fait du bien ! » Tout à coup, une brimbale s'agite. Marc s'accroupit : en un rien de temps, il remonte le fil à pêche, au bout duquel est accrochée une toute petite perchaude. Béa est plus chanceuse que Marc, les poissons ne cessent de mordre à sa ligne.

La noirceur les surprend et les ramène au village où ils trouvent bientôt, en retrait de la route, une jolie maison de briques rouges, le gîte du passant que Marc a déniché. En entrant, un magnifique salon tapissé de toutes petites planches de bois révèle l'âge de la demeure : pas moins de quatre-vingts ans. Deux divans antiques, recouverts de toiles de Jouy, et un piano aux touches usées enchantent déjà les pensionnaires. Marc et Béatrice se rendent à l'étage pour y repérer les chambres qui leur sont destinées : pour elle, ce sera *Rosa*, et pour lui, *Rolida*, du nom des vieilles célibataires qui habitaient cette maison avant que M. Plumier, un Belge, en fasse l'acquisition. C'est une très grande chambre, aux draperies et couvre-lit de même tissu ; le plafond tout blanc rappelle à Marc la maison de son grand-père.

La chambre de Béatrice, dont les murs blancs sont égayés de reproductions de Renoir, incite au calme et à la détente. Béa dépose son petit baluchon sur la chaise et s'empresse d'enlever ses habits de pêche. Oh ! que ça sent le poisson, pense-t-elle en se lavant les mains. Il y a de quoi, car ils ont capturé cinquante-deux poulamons, qu'ils ont offerts à leur voisin de cabane.

En sortant de la douche, Béatrice croise Marc. Il lui fait l'éloge de la belle chambre qu'il occupera et l'invite à prendre l'apéro quand elle sera prête. « Aurait-il de petites idées croches ? » N'ignorant pas le penchant que Marc a pour elle, Béatrice extrapole un peu : « Ma chambre, ma belle chambre, l'apéro, que signifie cette mise en scène ? Je ne détesterais quand même pas me blottir dans ses deux beaux grands bras… » Soudain l'image de Norbert lui traverse l'esprit comme un rayon laser. Un léger scrupule s'empare de son être, mais il est aussitôt dissipé par un coup ferme frappé à sa porte.

— Excuse-moi, Béa, je vais faire les réservations pour le souper. Quelle heure te conviendrait ?

— Vers vingt heures peut-être ?

— Formi ! Amène-toi pour l'apéro.

La chambre est éclairée par trois jolies lampes. En entrant, Béatrice ressent un désir, qu'elle n'oserait pourtant dévoiler à personne. Elle s'assied sur le divan et attend.

— Ça y est ; à vingt heures, au restaurant *Le Poulamon*

Marc avait pris soin de mettre un pot d'olives noires et une boîte de biscottes dans son sac de voyage. Il connaît les goûts de Béatrice, il y a longtemps qu'il observe ses petites gourmandises.

— Tu es gentil Marc, j'adore grignoter avec du mousseux.

— Moi aussi.

Au début du *happy hour*, les deux compagnons de voyage sont un peu guindés, mais à mesure que les sens se réchauffent, les langues se délient. On en arrive à parler d'âge et de fréquentations.

— J'ai beau avoir le cœur jeune, Marc, mes os ont 45 ans !

— Tu ne parais pas ton âge, Béa. Tu fais à peine 30 ans. Tu n'as pas de rides. Tu n'as pas d'idées vieillottes. Tu es en pleine forme.

— Arrête, Marc, tu vas me canoniser...

— Béa, je ne dis pas ça pour te faire plaisir, je le pense sincèrement. J'ai dix ans de moins que toi et, à force d'être sédentaire, je vieillis vite, j'abîme ma santé. Je n'ai pas de préjugés Béa, j'épouserais bien une femme plus âgée que moi.

Béatrice reste silencieuse ; elle voit là une perche tendue et s'empresse de faire dévier la conversation sur le travail d'avocat.

L'atmosphère est détendue. Béatrice se sent en confiance. Elle parle à voix basse ; est-ce pour ne pas faire fuir ses souvenirs ? Elle raconte sa famille, ses premières années d'enseignement, tout, sauf ses amours avec Norbert et ses sentiments profonds. Marc l'écoute, sans dire un mot pour l'instant, attendant la fin du presque monologue...

— Je parle beaucoup, n'est-ce pas ?

— Mais tu es intéressante.

— Parle-moi de toi, maintenant ; parle-moi de tes voyages.

— Volontiers. À 20 ans, je suis parti en Europe, mon but étant principalement l'Italie, car je rêvais de Florence, de Rome, de Venise...

Pendant le reste de l'apéro, Marc décrit Florence la Divine, Rome l'Inattaquable et Venise la Joyeuse.

— J'ai oublié de te parler du Baptistère et des fresques de Giotto.

— Il est déjà tard, nous causerons de tout cela au restaurant, qu'en dis-tu ?

À l'arrivée, c'est la déception : il n'y a que deux grandes tables, pouvant recevoir chacune une vingtaine de personnes. Marc fait la moue ; lui qui voulait un petit souper intime se verra contraint de subir les conversations des autres convives.

— Resterons-nous ici, Béa ?

— Je crois que oui. Je ne pense pas qu'un autre restaurant puisse nous accueillir à l'heure qu'il est. Tu es à la campagne ici, mon grand.

— Faisons contre mauvaise fortune, bon cœur.

Le souper est assez pénible. Les vapeurs d'alcool aidant, le ton monte chez les pêcheurs, ce qui a pour effet d'empêcher tout échange entre Béatrice et Marc. Toutefois, le repas est succulent.

Après une heure et demie, les deux convives se retrouvent à la chambre de Marc discutant grands peintres, tels Giotto ou Fra Angelico. Marc et Béatrice adorent la peinture et ne se lassent pas d'en parler. Afin de prendre un petit flacon de poire William, Marc passe au pied du lit, où est assise Béatrice. Intentionnellement ou non, il fait un faux pas et se retrouve à genoux devant elle. Surpris, ils se regardent droit dans les yeux. Marc se penche et fait une grosse caresse à la tête foncée soudain si proche de lui. Le souffle coupé, il n'a plus qu'un désir. Se rasseyant, il déclare : « La première fois que je t'ai vue, Béa, tu m'as plu. J'ai réussi à être discret, mais avec peine. J'étais en rogne quand je voyais mon frère tourner autour de toi. Quant à Norbert, il est décédé depuis bientôt sept mois : tu as assez pleuré. Il ne reviendra pas, Béatrice. Il faut que tu continues à vivre. Moi aussi, j'ai beaucoup pleuré la perte de papa, mais je sais qu'il doit être fier de me voir prendre soin de toi. » Béatrice n'en croit pas ses oreilles ! « Je suis sérieux, Béa, c'est avec toi que je veux faire ma vie. Tu es la femme de mes rêves. Tu es intelligente, jeune, belle. En un mot, tu es tout ce que je désire. »

Béa est stupéfaite, a-t-elle bien entendu ? Marc, le fils de Norbert, veut l'aimer pour toujours ! « C'est impossible. Il n'a que 35 ans. Il est bon avocat, gentil, charmant même ; il peut séduire toutes les filles qu'il veut. Mais depuis dix mois, il est seul... » Béatrice se lève et, tendrement, sur les lèvres gourmandes de Marc, elle dépose un doux baiser. Marc dit tout bas : « Si j'ai bien compris, j'ai ma réponse. »

— Un peu de poire William pour fêter cela ?
— D'accord.
— À partir d'aujourd'hui, je ne te laisse plus !

Après des aveux réciproques, ils partent à la découverte l'un de l'autre…

— Béa, je crois que de toutes les joies sur terre, la plus douce, la plus profonde, la plus enivrante est la joie d'aimer.

— Tu as raison, Marc, et moi, je pense que je vais t'aimer très longtemps.

En disant ces mots, elle a tout à coup une pensée pour Norbert. Marc se rend compte de ce nuage.

— Tu auras sans doute d'autres retours vers mon père ; je les accepte. Moi aussi, je pense souvent à lui. Mais je crois qu'il approuve notre bonheur.

La nuit les surprend dans toute leur nudité. Dehors, la lumière trouble de la lune effleure doucement les bouleaux. Au matin, Marc réveille Béatrice avec un plateau de baisers. Les jeux de l'amour recommencent. Béa pense : «Marc est un homme droit, il ne me laissera pas tomber. Il est bon, courageux, instruit, fort. Il n'est que joie.»

— Debout, chérie, il y a un bon déjeuner qui nous attend.

Le temps est doux. Il neige abondamment. Les pas des promeneurs disparaissent en un rien de temps. Ils ne disent mot, mais savourent leur bonheur. Leurs agrès de pêche sont en place. Monsieur Poulin est à percer d'autres trous ; Marc et Béa se mettent à l'œuvre, mais ils ne rêvent que de caresses et de baisers. Ils sont plus souvent dans la cabane qu'à l'extérieur.

Ils sont déjà sur la route du retour. Le temps a fui si vite. Et pourtant, ils ont l'impression d'être partis depuis des jours, tant il s'est passé de choses entre eux. Béatrice contemple Marc. Sa fascination est sans fin. De temps à autre, elle prend son bras et y appuie la tête ; il caresse alors sa longue chevelure. Un chemin familier, qui leur semble enchanteur, les mène au bout de l'Île des Sœurs. Béatrice a un pincement au cœur, elle se revoit arriver à l'Île avec Norbert.

— Tu descends, Marc ?

— Puis-je ?

Marc ne peut lui résister, il passe la nuit avec elle. Dans son cœur, Béatrice prend désormais le titre de « ma fiancée ».

Le 7 janvier, la routine reprend ses droits ; heureusement, il y a les fins de semaine pour l'amour. Chacun reçoit l'autre à son tour ; ils sont donc tantôt à l'Île, tantôt à Habitat 67. Très rapidement, les familles sont mises au courant de la liaison Marc-Béatrice qui, pour leur part, s'aiment, de jour en jour, plus passionnément.

❧

Dès la fin des classes, Béatrice se rend chez ses parents. Monsieur Bélisle a beaucoup changé depuis son infarctus. Son caractère s'est adouci. Et lui qui avait juré de ne faire entrer aucun chat dans la maison, le voilà assis dans sa grande chaise berceuse, qui caresse Rio, un gros matou jaune et blanc ; il le flatte et lui parle à l'oreille. Béatrice regarde son père avec attendrissement.

Non loin de la maison, sur une épinette, un jaseur des cèdres s'ébroue. Ailleurs, un geai bleu s'égosille et va se poser sur la plus haute branche d'un érable argenté. Un étourneau en vol poursuit une corneille trois fois plus grosse que lui. Béatrice partage la joie de tout ce monde des champs et des bois. Elle enfourche sa bicyclette ; en chemin, elle croise trois chats sauvages et leur mère qui se dirigent vers le Gros Ruisseau. Une hirondelle joue à cache-cache avec le vent. Son petit derrière se trémousse de haut en bas. Aujourd'hui, elle ne rase pas l'eau ; il fera beau, s'il faut en croire les fermiers.

La route déserte l'invite à la paix. Elle respire à pleins poumons. Plus elle s'avance dans le boisé, plus ça sent bon. Les conifères dégagent l'odeur du bois chauffé au soleil. Sa promenade l'amène au petit camp de la famille, où dorment, dirait-on, tous ses secrets. Assise dans la grande chaise berceuse, Béatrice repasse sa vie. Elle revoit Juan, son beau matador ; elle revit son avortement à son retour d'Espagne et, comme toujours, son viol par l'oncle Aimé. Elle pense enfin à Norbert, et dit tout haut : « Il n'était pas pour moi. »

Elle écoute ainsi les battements de sa vie et rêve qu'elle consigne dans un cahier les mots suivants : « Je m'appelle Béatrice Bélisle. J'ai 45 ans. Je suis en amour avec Marc qui n'en a que 35. J'étais presque fiancée à son père Norbert, quand il s'est fait tuer dans un attentat au Pérou. Je croyais ne jamais me remettre de ce drame, mais voilà que son fils est entré dans ma vie sans crier gare. Il ressemble à son père. Il m'aime, je l'aime. Nous allons vivre ensemble. Avant Marc, j'ai eu deux longues liaisons avec des hommes mariés. J'y ai perdu mon temps. Je disais chérir ma liberté, mais j'étais esclave, esclave de leurs horaires incongrus, de leurs caprices. Aux moments importants de ma vie, j'étais seule. Ils étaient avec leurs familles. L'un d'eux a même poussé l'audace jusqu'à avoir une liaison avec ma meilleure amie, Joëlle. J'ai eu un chagrin indescriptible. Maintenant, je suis guérie, guérie de tout. »

Après un long silence, Béatrice quitte le petit chalet et reprend sa bicyclette. Il est temps de rentrer... Près de la remise, son père est là, appuyé sur sa canne ; il lui a fait la surprise de venir à sa rencontre.

— Tu as fait une bonne promenade, ma Béa ?

— Oui, très belle, je ne voulais pas quitter la forêt.

Tous deux vont rejoindre Madame Bélisle, assise sur la galerie. Il fait une chaleur humide, étouffante. Victoire scrute le ciel où s'accumulent de gros nuages noirs. Il y a un silence étrange chez les bêtes. Tout à coup, ils entendent le vent qui vient du sud. Son souffle fait tournoyer le sable devant le poulailler. Il fait battre fortement les portes de la grange. Au même moment, une boule de feu se fracasse sur la pompe à eau près du hangar. Subitement, le tonnerre fait des siennes. Son bruit sourd accompagne les bêlements des agneaux dans la bergerie. Les éclairs courent partout. Béatrice a peur du vent, peur que sa mère a communiquée à tous ses enfants.

— Vite, vite, entrons.

Victor pousse les deux femmes à l'intérieur, son cœur bat rapidement.

— Est-ce dangereux, papa ?

— Mais non, Béa ; dès que la pluie tombera, ce sera bientôt l'accalmie.

— Heureusement que je ne suis pas restée au bois...

— Par chance, par chance... »

꧁

En ce samedi après-midi, les deux amants, arrivés la veille à Mirabel, sont installés sur la terrasse, devant un bon verre de kir. Le soleil n'est pas ingrat ; il illumine joyeusement le bonheur des tourtereaux. Les futurs propriétaires du domaine font des plans pour leur aménagement. Ils décident de ne garder qu'une grande table de pin blond qui a appartenu aux Sœurs de la Sagesse, de Dorval, parce que Norbert la trouve magnifique, et qu'elle rappelle à Béatrice les jours de pensionnat.

Pour Marc aussi, cette table fait surgir de beaux souvenirs ; il y prenait place à gauche de son père, ce qui lui conférait, pensait-il, une certaine autorité. Il aimait le moment des repas ; il disait toujours à sa mère : « Viens t'asseoir, maman, tu as assez travaillé, je vais faire le service. » Après les repas, il prenait plaisir à passer sa serviette dans l'anneau de bois marqué d'une croix. Marc tient à garder cet objet qui signifie tant de choses pour lui.

Béatrice est bien d'accord pour la table, mais elle ne tient pas à n'avoir dans son environnement que des objets ayant appartenu à Norbert et à sa famille.

— Béatrice, j'ai une dernière faveur à te demander. Pourrait-on garder le vieux poêle à bois de mes parents ?

— Bien sûr ! car, à l'occasion, j'aimerai bien y faire cuire de la bonne galette de sarrasin. Et le bois, ça sent si bon ! Et puis, si nous manquons d'électricité, ça sera bien utile !

— C'est vrai Béa, car le foyer du salon ne suffirait pas à chauffer notre grande maison.

Marc dit : « Notre grande maison »... Est-ce bien la maison que Béatrice a choisie ? Elle aurait aimé vivre sur un terrain neutre. Un endroit neuf où il n'y aurait pas trop de fantômes, ni pour l'un, ni pour l'autre. Une maison neuve pour un amour neuf. Elle aurait aimé avoir, seule avec Marc, les clés de la maison. Jusqu'à ce jour, les enfants André possèdent la clé de leur futur domicile. Ils peuvent aller et venir à leur gré. Jusqu'à aujourd'hui, ils étaient ici chez eux.

Béatrice demande à Marc :

— Comment te sens-tu d'habiter avec moi dans la maison paternelle ?

Elle connaît déjà la réponse, mais elle veut l'entendre :

— Je suis aux anges. Toi, ma maison, les chevaux, je suis comblé.

— Pour moi, je ne réalise pas ce qui m'arrive. Tout a été si vite. J'appréhende le déménagement. Mon condo n'est pas encore vendu.

Marc regarde Béatrice. Dans ses yeux, il devine qu'elle ne veut pas en dire plus. Il sait que Norbert est encore très présent à son esprit. Il lui laisse ses jardins secrets. Il pose délicatement sa main sur celle de Béatrice. Ce moment de tendresse la rassure. Elle dépose sa tête sur l'épaule de Marc, qui lui donne un gros baiser sur la joue. À ce moment, Marie-Josée arrive et s'excuse de les déranger.

— Marc, si on faisait une vente de garage et de grange ?

— En effet, la grange déborde d'objets hétéroclites et le garage est comble. Il y aura aussi tout ce que l'on enlèvera de la maison. C'est une bonne idée, Marie-Jo. Natalie et Jean pourraient t'aider.

— C'est parfait, on te soumet la liste et on planifie le tout pour samedi en huit.

— Ça va.

Béatrice fait un grand sourire à Marc.

— Ma Béa, tu auras toute la place pour disposer tes trésors.

Consultée, Natalie est d'accord. Elle veut absolument changer de milieu et accepte tous les beaux meubles que Marc lui offre.

L'avocat a assez travaillé pour aujourd'hui. Il dit à Béatrice : « Je t'enlève pour aller t'aimer chez moi. »

Pendant deux jours, Marc est un hôte charmant. Il prépare les repas avec amour. Il est à l'aise avec les casseroles. Dans le lit, c'est la fête. On ne trouve pas pareil accord à cent milles à la ronde.

Juillet est un beau mois pour l'équitation. Les chevaux sont en forme, et les cavaliers également. Marc et Béatrice se rendent à Mirabel. Il pleut, mais cela ne décourage pas les deux cavaliers. Ils attellent et partent en vadrouille. L'eau dégouline des vêtements et des longs cheveux de Béatrice. Elle s'en amuse, car, comme au temps de son enfance, elle adore se promener sous la pluie. La promenade est divine. Marc est de bien belle humeur.

— Je te l'ai déjà dit, Béa ; nous aménagerons la maison à ton goût. Nous n'avons pas pris cette décision à la légère. Nous serons chez nous. Je suis si heureux d'aller vivre avec toi dans la grande maison familiale.

— Que ferai-je avec tous mes tableaux ?

— Eh bien, tu les accrocheras tous dans ta nouvelle maison.

— Qu'arrivera-t-il des tiens ?

— Nous les rangerons pour le moment, et à chaque deux ans ou plus, nous pourrons faire une rotation. Ça te va ?

— D'accord.

❧

Marc est à la ferme sans Béatrice, car il désire causer seul à seul avec Marie-Josée.

— Je conçois, Marie-Jo, que ça t'arrache le cœur d'avoir à choisir parmi les objets des parents, mais il le faut. La vente de garage approche.

— Je comprends, Marc. Le problème est que je ne sais pas quoi apporter à La Tuque.

— Prends tout ce qui est à toi, je veux dire ton mobilier de chambre au complet et le reste.

— Natalie et moi, nous avons parlé de nous séparer la lingerie et la vaisselle.

— C'est bien comme ça.

— Puisque j'aurai deux chambres à La Tuque, j'aimerais apporter l'ensemble de chambre de Gaston. Je lui redonnerai à son retour, s'il le veut.

— Tu risques de le garder longtemps.

— Crois-tu qu'il fera sa vie en France ?

— Je n'en sais rien. Il est secret et bizarre quelquefois.

— Tu garderas ses livres ?

— Oui, ils sont toujours à lui. Ça ne dérange nullement dans mon bureau.

— C'est bon. Marc, tu veilleras sur Natalie quand je serai au loin. Tu sais qu'elle est encore irresponsable, parfois.

— Je vais la surprendre une fois la semaine. Elle s'arrange bien et étudie très fort. Et toi, Marie-Jo, es-tu heureuse d'aller vivre dans les Pays-d'en-Haut ?

— Oui, très. La Tuque est une ville charmante, et pas trop grande. Ça sera parfait pour élever des enfants.

— Nous irons te voir. Tu sais comme j'aime conduire.

— Vous pourrez en profiter pour aller voir les parents de Béatrice.

— Bien oui, ils sont en Mauricie, eux aussi.

— Si nous prenions une bouchée » il est déjà midi.

Assis à la table familiale, Marc en profite pour demander :

— Et Béatrice, tu ne l'aimes pas beaucoup ?

Marie-Josée, prise au dépourvu, sent une gêne l'envahir ; elle prend le temps de réfléchir avant de répondre :

— Marc, c'est que... c'est que j'aimais mieux Hélène. Je croyais que tu allais l'épouser.

Sur le coup, Marc, se sent coupable. Il songe à Hélène, à sa vie antérieure, à leurs moments de plénitude. Mais après un temps d'hésitation, il dit :

— Je sais que tu aimes Hélène, mais elle n'est vraiment pas une fille pour moi. Elle est trop bonne, trop en admiration devant moi. J'ai besoin de quelqu'un qui a une grande force de caractère. J'ai besoin de Béatrice. Efforce-toi de la connaître...

Marc lui verse un café. Elle le tient longtemps contre sa poitrine, et répond, les larmes aux yeux :

— Oh, si tu l'as choisie, elle doit être bien pour toi.

— Tu ne veux pas essayer de l'aimer un peu ?

Elle hoche la tête en silence.

— Il y a sûrement autre chose qui te fait pleurer ?

— J'ai de la difficulté à vous voir ensemble. Je pense tout le temps à papa. Je me demande souvent ce qu'il dirait de votre relation. Je ne dis pas que tu ne devrais pas être avec Béatrice...

— Mais tu penses que je renie la mémoire de papa en sortant avec elle...

— Oui, dit-elle timidement. Je me suis habituée à la présence de Béatrice avec papa. Je me souviens encore des dîners du dimanche lorsqu'ils nous recevaient. Pour moi, ils formaient un couple parfait.

— J'en ai parlé longuement avec Béatrice. Je sais que ça doit être difficile pour vous tous. Mais Béatrice et moi assumons notre relation. Il est vrai que ce n'est pas toujours facile à vivre. Je pense moi aussi à papa, et j'aime à croire qu'il serait content de nous voir heureux.

— Si tu le dis...

Dans un élan de tendresse, Marc se lève et lui caresse les cheveux.

— Choisis tout ce que tu veux, ma Jo. Tout ce qu'il y a ici vous appartient, à toi et à Natalie. Jeudi, je viendrai avec elle et nous terminerons l'emballage.

— D'accord, mais laisse-moi du temps pour y penser.

Marc quitte sa sœur à regret. Il la sait bouleversée.

🙟

Avec un pincement au cœur, Béatrice emballe ses tableaux. Elle les a collectionnés depuis vingt ans. Les Ayotte, Lacroix, Kabidjean, Fiore reposent maintenant dans des cartons, attendant l'accrochage dans la vieille maison du XIXᵉ siècle. Elle décide d'aller faire ses adieux à sa voisine.

— Mais entre, ma chérie, viens t'asseoir!

— Je ne serai pas longtemps, les déménageurs viennent cet après-midi.

— Tu as bien le temps de boire un café?

— Volontiers.

Madame Beaulieu va à son buffet vitré, sort une très grande tasse en porcelaine de Limoges et y verse un café bien fumant.

— Un peu de crème?

— Non, noir, merci.

— Un petit biscuit ou un chocolat?

— Un chocolat, j'ai besoin d'énergie.

— Dis, Béatrice, tu es ravissante! Ça va bien avec ton nouveau cavalier?

—À merveille. Avec vous, il est l'ami le plus merveilleux que j'ai connu.

— Flatteuse, va!

— C'est vrai, souvenez-vous de l'aide que vous m'avez apportée lors de ma dépression. Vous étiez très présente. Vous veniez faire des marches avec moi dans la forêt. Vous me prépariez de bons repas et vous me forciez à me distraire en m'amenant au cinéma. Et je ne parle pas des dizaines de livres que vous m'avez prêtés. Surtout les livres d'art. Je les dévorais avec avidité.

— Je savais que tu t'intéressais à l'art, c'est pourquoi je te prêtais mes plus beaux bouquins. Et dis-moi, Béatrice, la santé, ça va?

— Je suis toujours au lithium. J'ai bien quelquefois des sautes d'humeur, mais maintenant, je sais pourquoi. C'est ma maladie qui fait des siennes.

— Je suis comme toi, ma chérie. Quelquefois, je deviens irascible sans raison.

— Mon psychiatre dit que c'est normal dans mon cas.

— Le vois-tu souvent?

— Tous les deux mois; c'est un as!

— Moi, je vois le mien aux quatre mois. Ça fait trois ans que je n'ai pas été hospitalisée. J'espère ne plus l'être de toute ma vie.

— Je le souhaite aussi. J'ai enterré cette partie de ma vie. Je n'en parle qu'avec vous. Je crois que le bonheur m'a guérie. J'ai eu peur à une rechute lorsque Norbert est décédé.

— Tu avais raison, car on reste vulnérable.

— Parlant de Norbert, trouvez-vous que je l'ai trop vite oublié?

— C'était un peu vite, mais je pense que tu es mieux avec son fils.

—Je le pense aussi.

—Vous avez les mêmes intérêts. Il m'a fait très bonne impression les quelques fois où je l'ai rencontré.

—C'est un être merveilleux. Il a toutes les qualités de son père, et en plus il correspond mieux à mes attentes…

—Ne regrette rien, Béa. Norbert t'a aidée à sortir de ta dépression. Il était si bon et si généreux. C'est un homme comme lui qu'il te fallait à ce moment-là. Reste avec tes beaux souvenirs, et pense que tu l'as rendu heureux. Le bonheur que tu lui as procuré ne s'achète pas.

—Et vous, Madame Beaulieu, comment vivez-vous votre solitude ?

—Assez mal. Tu sais, l'argent, les voyages ne sont pas tout dans la vie. Chaque être humain a besoin d'amour, de tendresse. Il y a bien quelques hommes qui s'intéressent à moi, mais allez donc savoir leurs intentions cachées… Je ne suis pas dupe, et je sens lorsque quelqu'un s'intéresse à moi pour mon argent. Souvent, j'aimerais être pauvre et pouvoir être certaine d'être aimée pour moi-même. Tu sais, Béa, j'ai 72 ans et ce n'est pas facile de vivre en couple. J'ai mes caprices, moi aussi.

—Madame Beaulieu, vous avez des années formidables devant vous. Vous êtes belle, attrayante, intelligente, intéressante. Je connais bien des hommes qui seraient fiers de partager leurs jours avec vous… Mais il me faut partir, maintenant. Il est près de dix heures, et Marc sera bientôt là. Promettez-moi de venir nous voir à Mirabel. Vous avez nos coordonnées.

—Oui, j'irai certainement.

Madame Beaulieu tend la main à Béatrice, et cette dernière, très émue, se jette dans ses bras.

176

Depuis un mois que la grande maison était libre, s'y sont succédé plombiers, électriciens, plâtriers, peintres et autres spécialistes, afin de la rajeunir, selon le souhait de Marc.

Chez Béatrice, le camion est à la porte. Après avoir passé en revue les objets à emporter, le plus âgé des déménageurs, un rougeaud de plus de six pieds, distribue le travail.

Béatrice, le cœur serré, voit vider son appartement à un rythme effarant. La larme à l'œil, en ce moment de surmenage, elle ne se rappelle que les bons souvenirs vécus ici. Marc la laisse à sa rêverie. Elle sort sur le balcon qui surplombe son fleuve. Elle regarde son confident de longue date et lui murmure :

« Depuis quinze ans, je t'ai vu, mon fleuve. Depuis quinze ans, je t'ai entendu, mon fleuve ; j'ai écouté ta musique qui se mêlait au vent. Maintenant, ton image est ancrée au plus profond de moi. Tes dernières vagues, je le sais, vont mourir à la mer après avoir transporté des branches, des scories de toutes sortes, y compris mes peines et mes chagrins... Il ne s'est pas passé un jour sans que je ne t'observe, pas une nuit lors de ma dépression sans que tu ne chasses mes démons.

« Pour moi, tu étais comme un confident, je te parlais, je te suppliais. Tu m'accompagnais dans les temps forts de ma vie. Tous mes sens étaient en éveil pour toi. Mes amours, heureuses ou malheureuses, étaient ton lot quotidien.

« Puis, Norbert est venu. Il a eu, lui aussi, le bonheur de t'admirer, mais pendant dix mois seulement. La mort, cette faucheuse, me l'a enlevé. Maintenant, son fils Marc occupe toute la place dans mon cœur. Il aime bien ta complicité. Il te regarde souvent en silence. Te parle-t-il ? Que dit-il de moi ? En ce moment, il me laisse te contempler, te regarder. Il sait que je te quitte à regret. Il sait que tu me manqueras, toi qui faisais partie de ma vie. Une de mes sœurs m'a déjà dit que j'avais un attachement maladif à ton endroit. Je le pense aussi, mais j'en suis fière. Je n'arrive pas à te laisser, même si Marc me dit que je pourrai revenir me confier à toi aussi souvent que je le souhaite.

« Marc… Marc… que je suivrai partout. Marc, pour qui je me sépare de toi. Marc avec qui je vais vivre dans une maison remplie de ses traditions. Une maison où j'ai peur de ne pas me sentir chez moi, où je serai loin de ma famille, de mes amis et de mon travail. Se rend-il compte des sacrifices qu'il me demande ? Je ne lui dis pas que j'aurais préféré un endroit neutre pour notre première cohabitation. Je me laisse porter par mon amour pour lui.

« Fleuve, mon fleuve, j'aimerais pouvoir t'apporter avec moi, lover tes vagues entre mes bras. Tu as été un fidèle ami, un doux compagnon de route. Je te dis merci. Adieu. »

Le dernier meuble descendu, la route indiquée aux camionneurs, c'est lentement, très lentement que Béatrice verrouille quinze ans de sa vie.

Marc ne la brusque pas. Il se tait. La Volvo se dirige vers Mirabel, précédant de peu le camion. Béatrice pense : « Oui, il est vrai que j'ai peur de la cohabitation. Est-ce bien moi qui sacrifiais tout au nom de la liberté, qui chantais cette liberté, qui ne jurais que par ma soif d'autonomie ? Est-ce bien moi, l'épicurienne, qui avait comme but ultime le plaisir ? Est-ce bien moi qui, pour rester libre, ai vécu pendant vingt ans des liaisons impossibles ? Est-ce bien moi qui me laisse enchaîner par ce bel homme à ma gauche ? Marc, mon chéri, tu m'as fait prendre une décision hâtive. Tu m'as dit : *C'est un essai.* Mais je t'aime trop, tu m'aveugles.

« Pourrai-je vivre en couple ? Serai-je la boniche qui te mitonne de bons petits plats, pendant que tu relis tes dossiers importants ? Les miens sont tout aussi importants. Je devrai exiger ton partage des tâches quotidiennes et ce, dès ce soir. Tu arrangeras les légumes et tu feras cuire les filets mignons. Je préparerai une bonne entrée, et nous ferons ensemble le travail ingrat. Je te laisserai récurer les casseroles et je chargerai le lave-vaisselle. Nous terminerons ensemble la besogne. J'espère que chaque jour sera ainsi. Rappelle-toi ta vie de célibataire, tu faisais seul ces corvées. Tu ne t'achètes pas une servante. Je n'ai aucune aptitude pour la servitude. »

De temps à autre, Béatrice pressait le bras de Marc. Il esquissait un petit sourire et se gardait bien de déranger le discours intérieur de sa Béa.

Arrivée à destination, Béatrice se rend bien compte qu'elle est déjà très attachée à cette maison, avec ses vieilles pierres, ses lucarnes originales. Un gros chêne garde le domaine, comme un phare surveille la mer. Béatrice sort de l'auto une boîte contenant douze petites tasses de fantaisie. (À chaque retour d'Europe, elle en ajoutait une.) Elle entre par la porte arrière, et se retrouve dans la grande cuisine, où son regard est attiré par quatre pots de grès jaune qu'elle avait offerts à Norbert. « Norbert, Norbert, je sens trop ta présence ici, je veux extirper ton souvenir de ma tête. Je ne peux vivre avec un fantôme. » Elle entreprend de faire le tour de la maison, en principe, complètement rénovée. Mais partout, un meuble, un objet quelconque, un livre oublié lui rappelle Norbert… « Plus j'avance, plus les souvenirs mettent mon cœur à vif ! » Béatrice est au bord de la panique. Par bonheur, Marc, qui entre avec sa chaîne stéréo dans les bras, la ramène à une salutaire réalité…

— Où le pose-t-on ?

— Dans mon bureau.

Ce bureau, aménagé comme celui de l'Île, mais en plus grand, est son jardin secret. Les déménageurs y déposeront pas moins de dix caisses identifiées *Bureau Béa*. Marc laisse Béatrice guider ceux-ci à l'intérieur, afin qu'elle puisse, petit à petit, prendre sa place dans la maison.

Vingt heures ; les meubles sont en place, mais une montagne de caisses encombre la salle à manger. Marc s'approche de Béatrice, lui dépose un beau baiser dans le cou, et lui dit :

— Je veux te dire merci pour tout... tout. Tu me vois heureux avec toi, dans un endroit que j'adore.

— Maintenant que les déménageurs sont partis, nous pourrions souper en paix. Ils sont étourdissants...

— Mais efficaces !

— J'ai bien quelques bouteilles dans tout ce fourbi. Veux-tu un apéro ?

— Volontiers.

Marc prend un opinel et éventre la caisse marquée *apéro*. Un scotch pour lui, et pour elle, un Campari soda. Elle s'apprête à se lever pour préparer le souper, mais Marc la retient sur ses genoux.

— Je suis passé aux Cinq Saisons, et tout est préparé.

— Chouette ! Tu commences bien ta vie de couple ! J'ai justement planifié des partages de tâches.

Et longuement, les deux amoureux discutent de leur future vie en commun. Elle lui démontre qu'à deux, les tâches ménagères ne sont pas si compliquées.

Le soir les surprend, fatigués mais heureux.

Béa fouille dans une grosse caisse pour trouver des draps, ses draps. Marc est près du lit, il lui enlève le drap des mains et l'enroule dedans pour en faire une belle momie. Il se couche près d'elle. Béatrice, la tête contre son bras, regarde longuement son amant. Marc tient des propos qui ont de quoi la surprendre. Il met, en quelque sorte, son cœur à nu :

— Tu sais mon ange, j'ai moi aussi mes états d'âme. Ne pense pas que le fait que tu aies été la fiancée de mon père me laisse indifférent. Je lutte contre ce souvenir, mais je n'arrive pas facilement à vous dissocier l'un de l'autre. Je vous imagine parfois dans de bons moments. J'ai peine à éloigner ces images, mais je sais que tout ça passera. Je ne puis assez te dire le chagrin que j'ai de la mort de mon père. Mon cœur saigne à l'idée que je ne le reverrai jamais. Mais je suis content que tu lui aies apporté du bonheur, car depuis le décès de ma mère, il était toujours taciturne et malheureux. À ce moment de ma vie, je suis très partagé entre le fait de vous avoir tous les deux. D'un côté, je ne voudrais jamais te perdre, ma Béa, mais de l'autre, mon père me manque terriblement.

Et deux grosses larmes tombent de ses yeux azur. Béatrice ne sait trop que dire.

— Je te comprends, moi aussi j'ai eu un chagrin indescriptible lorsque mon père a fait son infarctus. Je l'ai vu dépérir, et perdre tout intérêt pour quoi que ce soit. Même ses chevaux ne l'intéressaient plus. Je vis toujours dans la crainte d'une mort imminente. Tu sais, Marc, je suis très près de mon père, comme tu l'as été du tien. Norbert était un homme attachant, tout le monde l'aimait. Je crois que tu étais son préféré... Il me parlait souvent de toi. Il t'admirait, il t'appelait tendrement le Grand Marc. La mort de ton père m'est aussi difficile. Il faut arriver à faire notre deuil.

Béatrice le regarde avec tendresse, et ajoute :

— Ce doit être très pénible d'avoir perdu ta mère et ton jeune frère, et puis, maintenant, ton père. Heureusement, nous sommes deux ; tu n'es pas seul pour vivre cette peine.

Béatrice enlace Marc, met sa tête sur sa poitrine. Ils demeurent ainsi le temps de se réconforter. Un long silence calme leur peine.

— Maintenant, nous devons penser à nous, à notre amour tout jeune, à notre futur. J'ai des rêves, des ambitions. Ne faudra-t-il pas de beaux petits enfants dans cette grande maison ?

— Voyons, Marc, c'est impossible, j'ai 45 ans !

— Nous pourrions en adopter…

Le visage de Béatrice s'éclaire, ses yeux s'agrandissent et elle lui murmure à l'oreille : « J'y avais pensé. » Et pour la première fois, sérieusement, ils décident d'aller en secret vers les crèches du Vietnam et de revenir, si possible, avec un bel enfant.

❧

Les jours passent, avec ses hauts et ses bas. Marie-Josée écrit à Gaston.

La Tuque, 30 octobre 1980.

Cher Gaston,

Comme il s'en passe des choses en ton absence ! Le mois d'octobre ne fut que bouleversements. D'abord, Marc et Béa ont emménagé chez nous, je devrais dire à la ferme. Avant leur prise de possession des lieux, Béatrice a fait vider toute la maison. Nous avons fait une grosse vente de garage et de grange. Cette activité m'a arraché le cœur. De voir tous les objets ayant appartenu à maman et à papa être pesés, soupesés, triturés, tripotés par des étrangers me donnait la nausée. Je trouve inconcevable qu'une étrangère chambarde ainsi nos coutumes, notre vie. Je trouve aussi que Béatrice mène le Grand Marc par le bout du cœur. Tout ce qui reste de souvenirs dans notre maison est la grande table, ses dix chaises et le gros poêle à bois. Tes livres sont encore dans ta chambre… devenue le bureau de Marc. Toi, au moins, tu y as laissé ton empreinte. Béatrice a même annulé les dîners du dimanche. Je me demande si elle veut nous déraciner complètement.

Marc a un nouveau collaborateur. Cela lui laissera plus de temps pour aimer sa Belle… Tu me trouveras peut-être amère, mais pense bien qu'on nous a dépouillés de ce qui était notre vie depuis plus de vingt ans. Natalie s'accommode de la situation. Marc et Béatrice l'ont bien amadouée en lui organisant, avec les meubles de Marc, un coquet appartement.

Et toi, Gaston, tu n'es pas bavard. Est-ce parce que tu souffres ? Mon amie Linette m'a dit que l'adaptation à la France et à son système compliqué lui avait été bien pénible. Est-ce la même chose pour toi ? Es-tu bien logé ? Le petit mot par lequel tu nous donnais tes coordonnées nous a paru étrange. Es-tu heureux ? As-tu décidé de faire le vide de tout et tous ?

Ici, à La Tuque, nous nous débrouillons bien. Jean travaille à la CIP en tant qu'informaticien. Pour moi, mon boulot à l'hôpital est un élément positif dans ma vie. Je m'y plais beaucoup. Notre vie mondaine se résume à un souper en tête-à-tête après les tournois de badminton que nous disputons fièrement.

N'oublie pas que tu nous manques. Je ne te demande pas de me répondre. Je te connais...

Nous t'aimons beaucoup, ta sœur Marie-Jo.

Jean te salue.

※

Montréal, le 1ᵉʳ novembre 1980.

Cher frère,

Vraiment, on n'a pas beaucoup de tes nouvelles. Est-ce que ça va bien ou mal ? As-tu le temps de te divertir un peu ? Es-tu en amour ?

Ici, ça va très bien. Marie-Jo, Jean et moi avons fait une grosse vente de garage et de grange. Tu verras le montant des profits dans ton compte de banque. Je sais que l'argent t'importe peu, mais nous voulons être juste envers tout le monde. Marc n'a rien accepté de cette vente, il a simplement dit : « Séparez-vous cela entre frère et sœurs. » Il est gentil, notre grand frère ; il m'a donné des meubles pour mon 3 ¹/₂. Tu devrais me voir dans le bel ensemble de cuir du salon. C'est chic, surtout que le bourgogne est ma couleur préférée. Marc prend bien soin de nous, il veut remplacer papa. Il vient me visiter toutes les semaines. Il a l'air heureux. Il est vrai que Béatrice est une femme extraordinaire. Tu devrais voir le bel arrangement qu'elle a fait dans notre vieille maison. Tu ne la reconnaîtras plus. Elle a placé tous ses meubles dans les différentes pièces. Elle a recréé l'environnement qu'elle avait à l'Île des Sœurs. Il y a des tableaux partout. Son bureau, en bas, dans la chambre des maîtres, est un vrai musée. Marc, lui, s'est installé dans ta chambre; il n'a pas touché à tes nombreux livres. Leur chambre à coucher est dans l'ancienne chambre des invités. La visite dormira dans ma chambre, oups, dans mon ancienne chambre. Marc a l'air content de sa nouvelle vie. Il adore Béatrice. Tu devrais les voir se bécoter. Et on n'entend que : «Oui, ma chérie, oui, mon chéri.» Ils sortent assez souvent. Quand mon petit chum ne travaille pas le samedi, ils nous invitent au restaurant. Nous acceptons, mais Marie-Jo refusait toujours, avant de déménager à La Tuque. Je ne sais pas si c'est parce qu'elle n'aime pas les restaurants, ou qu'elle ne veut pas être trop souvent en face de Béa...

Une bonne nouvelle, Marc et Béatrice ont annulé les dîners du dimanche. Je suis contente de cette décision, car c'est le seul jour de congé de mon chum. Il y a bien d'autres nouvelles si ça t'intéresse, je t'écrirai une autre longue lettre.

Gros baisers, ta sœur cadette,

Natalie

PEINES

ISELLA, l'amie d'enfance de Béa, est terriblement angoissée : son amant, un homme marié, est atteint d'un cancer du poumon. Elle vient d'apprendre qu'il est entré à l'hôpital dans un état critique, et elle veut le voir absolument. Mais elle est seule avec sa peine ; ses parents ignorent tout de cette liaison. C'est pourquoi elle fait appel à Béa, la seule à être au courant de ses amours. Celle-ci lui propose de l'accompagner à Québec. Isella accepte.

— Je n'aurais pas dû... j'aurais dû épouser le fils des riches Larivière, même si je ne l'aimais pas.

— Voyons Isella, ce n'est pas le temps des regrets, tu aimes qui tu aimes, tu ne choisis pas.

La route de Québec est longue et pénible, la compagne de Béa est soit dans la lune, soit dans les pleurs. Arrivées à l'hôpital, les deux amies mettent un long moment pour trouver un stationnement. Pour se donner un peu de courage, Isella suggère d'aller boire un café. Elle ne se décide pas à se rendre tout de suite auprès de son bien-aimé. Il y a déjà un mois qu'elle l'a vu. La peur de le trouver trop changé l'envahit.

Chambre 434, Isella et Béatrice cherchent le lit de Monsieur Moreau. Déception : il n'y a pas de M. Moreau.

Les deux intéressées se rendent au poste de garde. On leur passe l'infirmière en chef. «Vous êtes Madame Harjen? venez avec moi.» Cette dame sympathique conduit Isella dans un petit bureau, la fait asseoir et lui annonce très calmement que son ami est dans la chambre des mourants. «Il est décédé, il y a à peine dix minutes.» Isella fait une crise de nerfs, se morfond en reproches. «Je n'aurais pas dû aller boire un café.» Garde Audy se fait réconfortante et demande à Isella si elle veut voir le corps; elle accepte, tandis que Béatrice va l'attendre dans un petit salon attenant. Cette dernière, qui a une peur viscérale des morts, préfère rester à l'écart.

La chambre des mourants est une grande pièce toute blanche, dénudée, avec comme seul décor un crucifix. Un drap blanc recouvre le défunt. L'infirmière se retire. Avec appréhension, Isella soulève le drap. Elle frémit, le visage de son amant est blafard. Elle lui presse le bras et sent un froid, une absence indescriptible.

Isella laisse échapper une plainte d'animal blessé. Elle veut baiser son front mais n'y arrive pas, la frayeur la gagne. Vite, elle s'enfuit dans le couloir. Garde Audy la rejoint: «Ne pleurez pas trop, il a tellement souffert, il refusait toute morphine. Il m'a souvent parlé de vous; il vous appelait sa *soie*. Il va veiller sur vous de là-haut.» Isella revient dans le bureau de garde Audy, qui lui remet une bague laissée par le mourant pour son amante. Isella verse de grosses larmes.

Pour Béatrice, l'odeur de l'hôpital la ramène au temps de Juan. «Je me souviens de notre première rencontre au restaurant El Museo. Les six têtes de taureaux qui ornaient la façade de ce troquet me faisaient frémir. Je me souviens du barman, ce rigolo vêtu d'un habit de toréador et coiffé d'un tricorne. Son habit noir brodé de rouge était une merveille. Et puis, il y avait toi, toi Juan, je t'ai vu... Assis au comptoir, tu buvais un expresso. Je revois tes grands yeux noirs, ton nez aquilin, tes joues hautes, ton regard intense. Tu m'as souri et, alors que Joëlle et moi nous étions à regarder la photo de Hemingway accrochée au mur, tu es venu nous parler. Je t'écoutais discourir sur le grand écrivain et tu me passionnais. J'ai été encore plus intriguée lorsque tu m'as dit : "Je suis matador", et que tu nous as invitées à l'arène pour une démonstration. Tu m'as fait un de ces effets !

«Après, tu m'as enlevée. Nous avons fait une longue marche au bord du Tage, pour enfin arriver à ta maison cachée dans les arbres. Quel endroit de rêve ! Et nous y avons fait l'amour pour la première fois... Pendant une semaine, tous les jours, nous nous sommes aimés. Mais le dimanche, tu devais combattre. J'avais peur pour toi. Joëlle et moi, nous sommes allées te voir dans ta loge. Que tu étais beau avec ton costume blanc brodé d'or ! Et ton baiser avait une telle intensité qu'il m'a fait tourner la tête.

«Au-dehors, les clairons sonnaient, le mouchoir blanc du président annonçait le début du combat. Dès lors, je ne t'ai pas quitté des yeux. La foule t'ovationnait longuement. Tu avais déposé ta cape juste devant moi. J'avais fait des jalouses... Le taureau est sorti, et je t'ai vu l'observer, l'ana-lyser. Je t'ai vu attirer le gros animal furieux vers toi. J'entends encore les olé ! olé ! J'avais le cœur qui tremblait. Je me concentrais sur tes gestes. Je pensais que tu t'enivrais du danger. La foule applaudissait et en demandait encore. Tout à coup, le taureau a chargé : je l'ai vu enfoncer ses cornes dans ta poitrine. Je criais comme une démente. Joëlle et moi avons couru vers ta loge. J'entends encore le

médecin m'annoncer : "*Señora, Juan es muerte para su honor.*"
La mort, la mort, quel scandale, quelle horreur ! criai-je…
Chère Isella, en ce moment, tu contemples le corps de ton
homme sans vie. Je comprends ta souffrance. »

Béatrice revient au moment présent ; elle se sent mal à
l'aise de rester loin d'Isella alors qu'elle souffre. Elle se lève
et fait l'effort de rejoindre son amie. Elle prend une courte
respiration et entre chez garde Audy. Isella se jette dans
les bras de Béatrice et verse un torrent de larmes. Béatrice
s'emploie à la calmer, à la consoler, et la presse contre
elle.

Le retour vers Grand-Mère se fait dans un silence très
lourd. Béatrice ne trouve pas de mots pour réconforter son
amie.

— Tu as mal, ma chérie…

— Oui…

— Je te comprends. Moi aussi, j'ai perdu des êtres chers
dans ma vie. Pense seulement aux beaux moments que tu
as eus avec lui.

— C'est difficile. J'aurais tant voulu lui donner plus, lui
donner un enfant, partager sa vie…

Béatrice prend tendrement sa main pour apaiser sa
douleur.

— Tu as de bons parents, des gens qui t'aiment et qui
t'entourent, un travail intéressant, un bel avenir… Tu savais
que ta relation avec Jean serait éphémère.

— Oui, mais j'avais tant investi en notre amour. Je
croyais que lui et moi, nous finirions par vivre ensemble. Je
rêvais du jour où il ne retournerait pas à sa femme, du jour
où il serait tout à moi, pour moi seule. Je savais qu'il était
marié, qu'il était bien avec elle. Je gardais malgré tout
l'espoir de le conquérir totalement, de le rendre heureux.

L'arrêt est bref. Elles reprennent la route vers Grand-Mère. Isella a hâte de se retrouver chez elle. Béatrice devine ses pensées et, de temps à autre, elle lui demande : « Ça va, Isella ? »

Arrivées chez Isella, les deux amies, épuisées, s'écroulent sur le divan. Peu à peu, Isella retrouve ses esprits. Elle commande deux soupers au restaurant. Béatrice mange avec appétit, mais le poulet d'Isella se retrouve dans la poubelle… Une cantate de Bach berce la douleur d'Isella. Elle s'excuse auprès de Béatrice et se retire dans sa chambre.

Le matin ensoleillé la fait sortir du lit. Elle se dirige vers la cuisine pour préparer le déjeuner, mais Béatrice y est déjà.

À la table, les deux amies dissertent sur l'importance de l'amitié.

— Tu es ma sœur, Béa. Je ne sais comment j'aurais surmonté cette épreuve sans toi.

— Tu y serais parvenue, ma chérie. Tu as une force de caractère peu commune, ne l'oublie pas.

— C'est la faute de mon père ! Il m'a forgée à son image et à sa ressemblance.

— C'est vrai. Je l'aime bien, ton père ; même s'il est millionnaire, il est sans prétention. Quand je vais chez vous, il semble m'accueillir avec joie.

— Il est fier de notre amitié. Il en mesure le prix. Il sait que tu remplaces la sœur que je n'ai pas eue, et que, de plus, tu es de bon conseil. Il ne sait pas ce que je souffre en ce moment.

— Je crois qu'il s'en doute. Mets-le au courant, Isella. Ainsi, tu pourras partager ta douleur avec lui.

— Il connaissait Jean ; il faisait des affaires avec lui à la conserverie.

—Je sais, je sais...

Béatrice reprend la route de Montréal. Elle promet de revenir la fin de semaine suivante. Isella décide d'aller travailler à sa librairie. Elle veut se changer les idées et exorciser sa solitude.

Gaston boude-t-il? Il ne répond pas aux lettres de ses sœurs. Depuis qu'il a appris la liaison de Marc et de Béa, il se sent frustré, blessé. Il se compare à Marc. Tout le monde a toujours considéré Marc comme l'être supérieur, le grand avocat qui gagne presque toutes ses causes, et le chanceux d'avoir eu Hélène comme amie. Pour Gaston, c'est le comble. Béatrice, sa tendre Béatrice, lui est enlevée par ce maudit frère.

Gaston a mal. Éloigné des siens, il ne peut même pas voir ce qui se passe. Il n'a pas parlé à Marc depuis l'appel de ce dernier. L'acheteur Marc lui a signifié par téléphone qu'il avait remis à son notaire sa part pour la vente de la ferme André. Gaston travaille fort en France: il n'a pas le temps de rêver, lui, le cœur sensible. Il est le seul psychologue dans un CES de 800 étudiants. La direction ne lui témoigne qu'indifférence; certains de ses collègues l'ignorent totalement. Mais heureusement, les élèves sont chouettes. Il n'a plus de temps pour lire, et va rarement au théâtre. Mais durant les congés scolaires, il se permet des petits voyages. Il s'est même rendu au Portugal.

Gaston a-t-il fermé son cœur? Les deux collègues avec qui il voyage cet été lui font les yeux doux. Elles sont toutes deux adorables et libres, mais lui reste de glace. Il ne veut pas créer d'imbroglio. Il n'a tout simplement pas le cœur à l'amour. Il est à guérir de Béatrice et, d'autre part, il ne veut pas que les deux amies se séparent à cause de lui. L'exemple Marc-Gaston lui est assez pénible. Il se demande : « Mon frère est-il au courant de ma souffrance ? Et Béatrice, elle ? Cette fille n'est pas sotte, elle a bien senti mon attrait. Comment a-t-elle pu, quelques mois après la mort de papa, se retrouver dans le lit de Marc ? Comment peut-elle emménager dans notre maison ? Est-ce que la situation financière de Marc l'attire ? Non, je ne crois pas. Béatrice est une fille saine, indépendante de fortune. Faut-il que le grand Marc se soit montré rusé pour la conquérir ! »

CHAPITRE XII

ADAPTATION

Béatrice s'adapte petit à petit à son nouveau logis. Souvent, elle a la nostalgie du soleil qui entrait à pleines fenêtres dans son appartement de l'Île des Sœurs. Ici, comme dans toutes les maisons anciennes, les fenêtres sont toutes petites et, certains jours, l'absence de clarté lui donne le cafard. Béa attend pour tout décorer à son goût, car elle est bien consciente qu'elle s'ennuie de l'Île, de son fleuve, de sa liberté.

Béatrice a demandé à Marc de mettre un frein aux rencontres hebdomadaires de la famille André. Elle ne voulait pas être collée aux chaudrons toutes les fins de semaine. Elle a aussi sa famille à recevoir et elle compte bien faire une grande place à ses amis. De plus, il leur faut du temps pour leur vie de couple. Or elle enseigne, et Marc travaille beaucoup : finalement, ils ne se voient que très peu. Il importe qu'ils fassent grandir leur amour, car un rien pourrait les blesser. Marc aime bien les petites attentions de Béa, surtout lorsque, en milieu de soirée, il rentre fourbu et qu'elle lui a mitonné de bons petits plats. Quelquefois, elle aurait le goût de casser les assiettes pour éviter la routine. Mais son amour pour Marc est si grand, et elle se dit qu'il travaille tellement fort… Avant que l'esclavage complet ne la gagne, elle a décidé de souper en ville avec un ou une amie, une fois la semaine.

Samedi, Natalie leur rend visite. Marc a des dossiers à terminer. Il la laisse avec Béatrice. Cette dernière aime bien sa belle-sœur, qu'elle trouve délicieuse, enjouée et franche. Il fait beau, les blés sont jaunes. Le ciel est argenté. Allongées dans deux grandes chaises blanches sur le patio, elles se perdent en confidences. La jeune fille raconte les quelques aventures cocasses qu'elle a vécues depuis son déménagement en ville. Béatrice s'ouvre à Natalie.

— J'ai été traumatisée par un amant que j'ai fréquenté pendant huit ans. Il a été absurde. Je l'ai surpris avec ma meilleure copine, une Française, que je connaissais depuis dix ans. Cet homme était mon professeur à l'Université de Montréal. Il était d'origine germanique. Ce qu'il était beau! Je pense que je suis tombée en amour avec sa beauté. Durant ses cours, il était vraiment sérieux. Mais quand il a sonné chez moi, la première fois, cachant une rose rouge dans son dos, j'ai cru à une plaisanterie. Tout de go, il m'a déclaré: «Je viens te dire que je t'aime.» Ma surprise fut grande; cependant, presque à l'instant, je suis tombée dans ses bras. Maurice n'a jamais quitté sa femme parce qu'elle avait payé ses études, et parce qu'il avait peur que ses enfants le détestent.

— Tu as dû faire beaucoup de sacrifices pour lui. En plus, il t'a trompée!

— Oui, il avait peur que l'on nous voit ensemble. C'est pourquoi nous n'allions jamais ni au théâtre ni au concert ni à l'opéra. Rares sont les fois où il m'a emmenée au restaurant. Et pour finir, il m'a trompée lâchement avec ma meilleure amie.

— Quel traître!

— Oui, tu peux le dire. Un vrai goujat !

— Comment as-tu découvert qu'il t'était infidèle ?

— J'étais allée chez des parents pour la fête de Pâques ; je ne devais revenir que le lundi soir, mais je suis rentrée vers midi. C'est à ce moment, dans un restaurant, dans *notre* restaurant, que je les ai surpris, en train de se faire les yeux doux.

— Le salaud !

— L'hypocrite. Mais ma plus grande peine, ce fut de perdre une bonne amie, celle avec qui j'avais voyagé à travers le monde, avec qui j'avais partagé mes joies et mes peines. Tu sais, Natalie, une amitié de dix ans ne se remplace pas.

— Vous deviez avoir une grande complicité.

— Oui, rien qu'à se regarder, on se comprenait.

— C'est comme moi avec mon p'tit chum.

— Je vois que tu t'entends bien avec lui. Avez-vous l'intention de vivre bientôt ensemble ?

— Non, parce que son père a besoin de lui sur la ferme. Souvent, il se lève à cinq heures du matin. Il faut qu'il soit près de Mirabel. Au printemps, quand les animaux mettent bas, il doit se lever la nuit pour surveiller les naissances.

— Je connais ça, mes parents étaient fermiers.

Et longtemps, sous le grand saule, Béatrice et Natalie parlent d'elles et de leur famille. Cet arbre, il n'a pas fini d'en entendre !

— Natalie, as-tu été peinée lorsque Marc et moi avons suspendu les dîners du dimanche ?

— Pas du tout, Béatrice.

— Je me sens coupable parfois d'avoir brisé votre tradition.

— Il ne faut pas, Béa. Tu as ta vie à faire avec Marc et, personnellement, je trouvais que la fréquence des repas était un peu exagérée. Nous avions pris cette habitude lorsque papa était seul. Mais ce n'était pas toujours drôle de se voir amputer toutes ses fins de semaine.

— Vous aimez tellement être ensemble. Vous faites des jeux, vous aimez vous retrouver.

— Gaston est à Paris, Marie-Josée à La Tuque. Il ne reste que moi. Je te dis mon opinion. Ne t'en fais pas pour moi. J'aime être libre le dimanche pour être avec Pierre ; c'est son seul jour de congé.

— Tu me rassures, je ne veux tellement pas vous déplaire. Je vous aime tant, surtout toi. Je me sens si près de toi. Je peux te confier mille secrets, je sais que tu les garderas. Tu es comme Marc et comme ma sœur Laure.

— Parlant de Marc, il a l'air très heureux avec toi. On ne l'a jamais vu si serein. Mais je trouve qu'il se préoccupe beaucoup de nous, presque trop...

— Et de moi aussi, bien qu'il soit souvent absent.

— Marc travaille beaucoup. Il me disait que, toi aussi, tu travailles beaucoup à l'école.

— Ce n'est pas toujours facile. On n'en finit plus avec les notes. Tu sais Natalie, je suis ambitieuse, et je voudrais que tous mes élèves du secondaire V soient acceptés au cégep, l'an prochain.

— N'es-tu pas un peu téméraire ?

— Oui, je le sais, mais il me semble que le programme n'est pas si chargé et que tous mes élèves devraient réussir. J'ai deux groupes d'enrichis et un groupe de réguliers.

— Tu n'as pas d'allégés ?

— Non, parce qu'il y a deux ans, je n'avais que ça !

— Comme ça devait être difficile !

— Épuisant. C'est pour ça d'ailleurs que j'ai fait une grosse dépression.

— Je sais, papa m'en avait parlé.

— Ton papa. Ce que je l'ai aimé, cet homme... Je le vois en rêve, ou même éveillée parfois. À sa mort, j'ai eu le cœur brisé. Même la beauté de mon fleuve, même les plus beaux paysages du monde, même le chant des oiseaux, même la lecture d'un bon livre n'apaisaient pas ma douleur.

— Je te comprends ; moi aussi, j'ai eu de la peine. Par chance, j'ai Marc, qui ressemble à papa.

— Tu vois juste, Natalie. Marc est bon, patient, dévoué et travailleur comme Norbert. C'est son digne fils. Crois-tu que ton père approuverait notre alliance ?

— Oui. Et nous aussi, nous l'approuvons. Tu es ma sœur, mon amie et ma précieuse confidente. Il y a peut-être Gaston qui était réticent, mais je crois qu'il avait ses propres raisons...

Béatrice regarde Natalie, et les deux complices esquissent un sourire mi-triste, mi-amusé.

❧

Le temps est maussade. Les nuages sont bas, l'humidité à couper au couteau. Béatrice a eu une très mauvaise journée à l'école. Une élève, une caractérielle, l'a mordue au bras alors qu'elle essayait de lui enlever un joint qu'elle montrait furtivement à deux compagnes de classe. Béatrice arrive à Mirabel et entre dans la maison de Marc. Oui, la maison de Marc. Elle voulait bien payer la moitié de cette propriété, mais Marc n'a jamais voulu. Elle n'a pas de lien d'appartenance dans cette maison, et les souvenirs de Norbert lui montent trop souvent à la mémoire.

Aujourd'hui, Marc a travaillé à la maison. Question d'économiser le temps de deux trajets entre Mirabel et Montréal. Lorsqu'elle a quitté ce matin, Marc était encore au lit. Elle revient, il a le nez dans ses dossiers et la salue à peine. En passant près de la chambre, elle voit le lit défait, ça la hérisse. Elle se dirige vers le bureau dans le but de le déranger. Il fait l'indifférent.

— Tu es toujours occupé. Tu portes plus d'attention à tes dossiers qu'à moi. Je suis la servante ici; encore ce matin, j'ai sorti les déchets. Je passe toujours l'aspirateur. Je nettoie, je lave, je repasse, je fais les courses et je fais toujours la bouffe. Et ce lit, ce maudit lit qui est encore défait à cinq heures de l'après-midi, sous prétexte que tu es débordé. Tu ne fais rien Marc... Mais rien...

— Toi aussi, tu es toujours occupée à préparer tes classes.

— Pas tant que toi. Dans les premiers temps, tu m'aidais à toutes les tâches. Tu nous préparais de délicieux repas. Tu étais présent. Aujourd'hui, on ne se voit plus, on ne sort plus, on ne prend plus de temps pour nous. Nous sommes déjà un vieux couple pris dans la routine. Ça fait un mois que nous ne sommes pas allés au restaurant...

— Mais Béa chérie, je mange au restaurant à tous les midis!

— Et moi... Moi... je ne compte donc pas? Quand est-ce la dernière fois que nous avons fait l'amour?

— Voyons mon lapin, tu as dû avoir une journée très pénible pour parler ainsi.

— Oui, oui, en effet!

Marc dépose son stylo, avance lentement vers sa petite tigresse, la soulève de terre et la dépose sur ses genoux. Il est ému. Il tremble.

— Ne me mords pas, ma jolie, et je vais t'expliquer que depuis trois mois, j'ai eu avec la CSN le plus gros contrat de ma carrière, il me faudrait un autre associé au bureau. Je cherche, mais ce n'est pas facile.

— Ce n'est pas facile pour moi non plus. Regarde.

Béatrice montre son bras et dit:

— Elle s'est avancée vers moi en tenant le joint dans les airs, et elle a bondi comme une lionne. Je n'ai rien vu.

— Pauvre chérie, je te comprends d'être exaspérée. J'espère que tu as porté plainte à la direction.

— Eh non, Marc, c'est inutile! J'ai parlé à Nancy après le cours; elle m'a avoué que son père l'avait battue avant qu'elle parte pour l'école. Elle s'est vengée sur moi.

— Quelle pitié!

Marc donne un gros baiser sur la morsure, déjà bleuie.

— Mais tout cela ne règle pas notre problème.

— Il est vrai que je ne t'aide pas, Béatrice. Je te promets de trouver bien vite un associé, et demain, c'est moi qui préparerai le repas. Je ferai les courses et je n'oublierai pas les endives. Ce soir, si tu n'es pas trop fatiguée, nous irons manger au restaurant. Et demain, nous prendrons toute la journée en amoureux. Nous pourrions commencer par faire un tour de cheval?

Béatrice donne un gros bec sur la joue de Marc.

— Ce que tu peux être charmant!

— Quand je ne travaille pas trop?

Ils éclatent de rire et, tête contre tête, ils laissent passer un courant qui les conduit dans le lit défait...

CHAPITRE XIII

LE VIETNAM

ARC ET BÉATRICE partent pour le Vietnam. Le voyage est long, dix-huit heures! Béa est fébrile. Dans son sac, elle apporte les papiers nécessaires, papiers qui ouvriront la porte d'un grand bonheur.

À la descente d'avion, à Hanoï, le couple se dirige vers l'hôtel typiquement vietnamien que leur a recommandé un ami de Marc. Dès leur entrée, un petit homme aux yeux bridés leur montre une table basse et deux petits bancs. «*One minute*», chante-t-il. Il revient avec un plateau qui supporte deux ravissantes petites tasses et une théière rose pleine de thé. C'est ici la façon de souhaiter la bienvenue… La chambre est modeste, mais très propre. Fatigués, Marc et Béatrice prennent à peine le temps d'ouvrir leurs bagages, et s'endorment bientôt jusqu'au petit matin, alors que le vrombissement des motos les attirent à la fenêtre. Une foule bigarrée, bien éveillée, s'active déjà avec ardeur.

Après le petit déjeuner, Marc et Béatrice vont marcher autour du Petit Lac, au milieu de la ville, dont l'eau vert jade réfléchit les trois seuls arbres des alentours. Il fait chaud. Les deux voyageurs se dirigent vers les ruelles du vieux quartier, bordées de petites échoppes biscornues, la plupart tenues par des femmes, discrètes, propres et souriantes.

Le temps passe vite.

— Marc, il est quatorze heures ; nous avons rendez-vous avec sœur Éliane.

— Oui, Béa, allons-y.

Avant d'arriver au Vietnam, Marc et Béatrice avaient fait plusieurs démarches pour adopter un bébé vietnamien. Grâce à l'aide de sœur Éliane Régnière, une amie de la famille André, directrice d'une crèche à Hanoï, ils étaient maintenant certains de revenir au Québec avec un bébé. Sœur Éliane fait partie de la communauté des Petites Sœurs des pauvres. Son visage carré, qui supporte des lunettes anciennes, sied bien à sa haute stature. Son sourire communicatif en a conquis plus d'un, et son caractère en or la fait apprécier de tout son entourage. On dit d'elle qu'elle est bonne comme du bon pain. Comme Béatrice, elle est née en Mauricie. Marc a hâte de la revoir et de lui présenter sa conjointe bien-aimée.

Les retrouvailles avec sœur Éliane sont chaleureuses. Elle fait part de toutes ses démarches et assure le succès de l'adoption. Au Palais de justice, les autorités font toujours des histoires. Ils embêtent pour embêter. Ici, tout est lent, compliqué et accordé avec parcimonie. Marc et Béatrice décrochent une première autorisation… Pour les autres, ils reviendront dans dix jours.

Inquiets, ils se demandent s'ils auront à ce moment les deux autres autorisations nécessaires pour sortir un enfant du pays. Ils s'efforcent de se donner du courage en imaginant d'autres scénarios. Sœur Éliane pourrait-elle se servir de ses contacts en tant que directrice de la crèche ? En attendant, ils se promènent dans les jardins qui embaument le safran et la citronnelle. Ils refont le tour du Petit Lac, et décident de quitter Hanoï le lendemain pour une grande visite du Vietnam.

L'après-midi étant jeune, ils parcourent la vieille ville et s'arrêtent dans de petites boutiques. Un laqueur, haut comme trois pommes, cheveux coupés ras, sourire en coin, leur fait l'histoire de la laque et de ses utilisations… Dans un salon de thé où ils font halte, un vieillard qui s'est joint à eux, les trouvant sympathiques, leur parle des coutumes du pays et, notamment, de la fête du Têt, qui est comme notre jour de l'An.

— Cette fête a lieu, chez nous aussi, le premier jour de l'année. C'est une kermesse, une fête de famille. On s'y prépare un mois à l'avance : on achète de nouveaux vêtements, on nettoie la maison, on la décore. On se procure une branche de pêcher en fleurs. Le jour même, on va au temple pour demander santé et prospérité, puis on donne des étrennes aux enfants et aux personnes âgées. Et on fait éclater des pétards. On mange du *banh chun*, un gâteau de riz et de haricots jaunes. La fête se poursuit ainsi durant sept jours.

— Nous aussi, on fête beaucoup, et on fêtera encore plus cette année.

Et Marc de raconter à ce Monsieur Meng l'objet de leur voyage.

— Vous êtes généreux, je vous approuve.

Jusqu'à très tard dans la soirée, les deux Québécois échangent avec cet étranger, mi-cambogien, mi-vietnamien, qui s'exprime dans un français châtié. La nuit est courte. À six heures du matin, Marc et Béatrice partent en avion pour Hué, l'ancienne capitale de la région d'Annam, ville de musiciens, de peintres et de poètes.

Parmi les monuments, tous plus magnifiques les uns que les autres, c'est le tombeau des Empereurs qui les fascine le plus. La promenade sur la rivière des Parfums s'accorde bien à leur humeur romantique. L'après-midi se passe au Musée d'art cham, bijou incroyable qui abrite les trésors de cet art fortement influencé par celui de l'Inde.

De retour à Hanoï, mis à part une courte excursion en hélicoptère au cours de laquelle ils survolent la baie d'Along, le plus beau site naturel du monde, Marc et Béatrice continuent de découvrir la ville et ses splendeurs : le Musée d'histoire du Vietnam, le pont Douver, la Pagode au pilier unique, sans oublier le Temple de la littérature ; ils assistent aussi à différents spectacles, dont celui d'un théâtre de marionnettes qui se produit dans l'eau !

Même s'ils sont très heureux de ce premier voyage fait ensemble, la préoccupation principale de Marc et de Béatrice, c'est encore et toujours l'adoption tant désirée d'un petit enfant.

— Si nous n'obtenons pas un garçon, Marc, adopterons-nous une fille ? Les garçons ne peuvent être sortis du pays, selon sœur Éliane.

— J'aimerai autant une fille qu'un garçon. Un enfant est un enfant. Si nous l'avions conçu, nous n'aurions pas choisi le sexe.

— C'est vrai, Marc. Tu as raison.

Et ils se mettent à rêver. Leurs yeux sont tournés vers une petite barque de la rivière Yen Spring, où est assise une jolie fillette de six ou sept ans, les yeux en amande, les pommettes saillante, qui s'en va faire la visite des grottes avec ses parents. Il y a un grand silence. Mais, tout à coup, Marc s'exprime tout haut.

— Quand elle aura cet âge, notre petite, nous l'amène-
rons visiter son pays.

— Comment l'appellerons-nous, chéri?

— Je n'ai pas de préférence. Choisis, toi, Béatrice.

— Anaïs, tu aimerais?

— Anaïs... Anaïs André, ça me plaît beaucoup.

Marc s'approche de sa compagne et l'embrasse tendrement.

Sœur Éliane leur téléphone enfin et les invite à dîner.
Durant le repas, la religieuse est très bavarde. Elle les questionne sur leur vie au Québec, sur les activités de Marie-
Josée et de Natalie, sur la vie de Gaston en France. Elle
veut tout savoir, notamment, sur la politique. Puis, elle
informe les futurs parents de ses multiples démarches afin
de leur obtenir la possibilité de choisir leur bébé, son âge,
son sexe si possible. Marc décide d'offrir quelques milliers
de dollars de plus: il veut avoir le droit de choisir l'enfant
qu'il aimera jusqu'à sa mort.

C'est presque fait, l'heure de la réponse a sonné. Sœur
Éliane escorte les deux Québécois au Palais de justice, une
sorte de temple bas où règne un silence monacal. En moins
d'une heure, tous les papiers sont signés et sœur Éliane,
accompagnée de Marc et de Béatrice, se dirige vers sa
crèche: des centaines de bébés, dont la moitié gazouille et
l'autre pleure, sont classés par âge. Une sensation de misère
envahit le jeune couple à mesure qu'il s'approche de la
rangée *1 à 6 mois*. Marc ne sait que dire.

— Choisis, Béa.

— Non, Marc, choisissons ensemble.

Le grand gaillard est soudain très ému, au bord des
larmes.

Sœur Éliane se fait discrète:

— Prenez votre temps. Regardez-les tous. C'est pour la vie !

— Nous ne saurons jamais assez vous remercier, Marc et moi.

— C'est toujours difficile avec les autorités civiles ; les religieuses ne font pas tant d'histoires, elles…

— En effet, c'est ce que j'ai constaté. Mais je suis habitué aux hommes de loi, et je comprends le système du pays.

Marc et Béatrice parcourent les rangées, ils regardent chaque bébé. Tout à coup, ils voient en même temps, dans la lumière qui entre à pleins flots, une petite tête couverte de cheveux noirs qui semble attendre une caresse. Les yeux, taillés en amande, sont rieurs. Les menottes, de toutes petites mains de poupée, paraissent agiles. Le teint mordoré de la petite fille finit d'attirer l'attention de Béatrice. Instinctivement, Béa examine tout le petit corps rond. Il lui semble parfait. Marc sort le bébé de son berceau, et le fait sauter au bout de ses bras. C'est le coup de foudre. L'éclat de son rire achève de conquérir les futurs parents qui, vivement, vont retrouver sœur Éliane.

— Ce sera Anaïs, dit fièrement Béatrice.

— Mais Béatrice, vous ne voulez pas connaître ses antécédents ? Attendez dans mon bureau, je vous reviens à l'instant.

— Marc, je suis fébrile, j'ai des frissons.

— C'est le bonheur qui te met dans cet état, ma chérie.

— Voici la fiche signalétique du bébé numéro 88. Personne n'est jamais venu la réclamer. Cette enfant n'a jamais été malade, elle ne pleure pas souvent. C'est peut-être parce qu'elle est placée au soleil.

— C'est probable, répond Marc.

— J'ai encore quelques formalités à vous faire signer, et vous partirez tranquilles avec votre petite.

— À l'hôtel, j'ai tout ce qu'il faut pour le bébé. J'ai tout prévu !

Marc, silencieux, les mains croisées sur la poitrine, regarde Béa qui serre l'enfant dans ses bras ; son cœur s'enfle de joie ; son instinct paternel s'éveille déjà.

— Donne, Béa, je vais la porter.

Béatrice a le cœur rempli d'amour. Elle pense à sa mère qui, treize fois, a donné naissance à de beaux bébés. Il lui semble enfanter. Ses jambes la supportent à peine, elle a la chair de poule. Elle est heureuse que Marc porte l'enfant, tellement elle tremble de tout son corps... Un peu en retrait, elle le regarde marcher fièrement. Elle sait qu'elle n'oubliera jamais ce moment dans la vie d'Anaïs ; heureuse plus qu'elle ne le croyait possible, les larmes lui montent aux yeux. Et pour immortaliser ce moment, elle prend une photo d'Anaïs dormant sur l'épaule de Marc. Elle se dit intérieurement : « Enfin, elle est à nous, à nous seuls. Notre bébé, mon bébé, mon Anaïs. »

Brusquement, lui viennent des interrogations bouleversantes. « Marc aurait-il préféré avoir une femme assez jeune pour lui donner des enfants ? Pourra-t-il aimer Anaïs autant qu'il aurait aimé ses propres enfants ? Aime-t-il Anaïs autant que je l'aime ? » Mais elle chasse ces idées noires, un peu folles, sans rapport avec l'amour que Marc lui porte, elle le sait bien… Elle vient poser sur la joue de son petit trésor un gros baiser.

Les nouveaux parents quittent les lieux, emportant avec eux Anaïs, leur PARCELLE D'ÉTERNITÉ.

TABLE DES MATIÈRES

Québec, Canada
1999